5ª Edição

EM BUSCA DA SABEDORIA

N. Sri Ram

EM BUSCA DA SABEDORIA

EDITORA TEOSÓFICA

Título Original em Inglês
SEEKING WISDOM

Edição em Inglês, 1969
The Theosophical Publishing House
Adyar, Madras, Índia

1ª Edição em Português, 1991,

R165

N. Sri Ram

Em busca da sabedoria / N. Sri Ram
Tradução, Adolpho José da Silva - 5ª ed. - Brasília:
Editora Teosófica, 2023.

ISBN: 85-85-961-39-2

I. Teosofia
II. Título

CDU 141.332

Revisão: Zeneida Cereja da Silva
Diagramação: Helkton Gomes - Fone (61) 8485-2561
helkton@hotmail.com
Capa: Fernando Lopes
Impressão: Gráfika Papel e Cores (61) 3344-3101
E-mail: comercial@grafikapapelecores.com.br

Direitos Reservados à
EDITORA TEOSÓFICA
Sig Sul Qd. 6 Lt. 1.235
70.610-460 – Brasília-DF – Brasil
Tel.: (61) 3322.7843
E-mail: editorateosofica@editorateosofica.com.br
Site: www.editorateosofica.com.br

PREFÁCIO À EDIÇÃO BRASILEIRA

Este é um livro de reflexões. Texto preparado para aquelas mentes que almejam trilhar a senda do "amor à Sabedoria" e da busca da Verdade, indicada por Pitágoras.

N. Sri Ram (1889-1973) visualiza a meta e enfatiza a vital necessidade de compreensão direta do fenômeno da Vida. Invoca o lado extraordinário da Vida.

Para ele *Theo-Sophia* é a Sabedoria. Uma Sabedoria viva, ilimitada, abstrata em sua essência e que é inseparável da Verdade – que é algo para ser experimentado, pois pertence à Vida.

No seu estilo próprio, onde estão unificados o pensador hindu com o filósofo grego, amante da beleza, apresenta-nos meditações onde há destaque para aspectos essenciais da existência humana. Muitos daqueles que conviveram com o autor destes textos chamaram-no de "alma gentil". N. Sri Ram foi uma pessoa em quem a paz interior, a sabedoria intuitiva e a simplicidade estavam reunidas. Atuou em inúmeros campos, entre os quais o jornalismo, a política, a educação e, especialmente, as atividades da Sociedade Teosófica, onde foi destacado conferencista, escritor e presidente internacional, tendo introduzido uma nova perspectiva com sua tônica – ênfase na busca da Sabedoria.

A primeira edição foi em 1969, sendo reeditado em 1989, ano do centenário do nascimento de Sri Ram. Em seus quinze artigos, reúne textos para leitura, estudo e investigações silenciosas.

Entre os seus tópicos há destaque para a questão da Verdade, o discernimento do Real, a Beleza, a Vida e o diálogo com a Morte. "A Canção da Vida" são reflexões a partir da obra *Luz no Caminho*. "Preceitos dos Gurus" são comentários a um texto de Dvagpo Lharje, discípulo de Milarepa no Tibete (publicado por Evans-Wentz em "A Yoga Tibetana e as Doutrinas Secretas"), e o artigo "O Elixir da Vida" é baseado em um texto de Eliphas Levi.

Há, também, uma importante contribuição para os estudantes do *Yoga*, no artigo "As Três Sendas em Uma", ao enfatizar que é necessário existir, no aspirante à Sabedoria, uma harmonia entre o *Jnana-Yoga* (sabedoria), o *Karma-Yoga* (ação) e o *Bakti-Yoga* (devoção). Não são três caminhos separados, mas aspectos que devem ser desenvolvidos simultaneamente, pois Yoga é equilíbrio, como nos diz o *Bhagavad-Gitā*.

SUMÁRIO

Prefácio à Edição Brasileira 5
Nota dos Editores 9
1. Em Busca da Sabedoria 11
2. Verdade ou Imagem da Verdade? 23
3. Liberdade de Opostos 34
4. A Beleza da Virtude 43
5. Psique e Intelecto 54
6. A Natureza Extraordinária da Vida 66
7. Atenção, Interesse e Amor 78
8. O Eu Cambiante: Sua evolução 90
9. Encontrando a Morte como a um Amigo 102
10. A Canção da Vida 113
11. O Mais Belo Estado da Mente e do Coração ... 122
12. O Real e o Irreal 135
13. Preceitos dos Gurus 143
14. As Três Sendas em Uma 158
15. O Elixir da Vida 170

NOTA DOS EDITORES

Houve solicitações de diversas procedências para uma compilação dos artigos escritos por N. Sri Ram, Presidente da Sociedade Teosófica, nas publicações de *THE THEOSOPHIST*, especialmente nos últimos meses. Temos a satisfação de publicar tal compilação nesta obra, sob o título *EM BUSCA DA SABEDORIA*. Os artigos são aqui reproduzidos como foram publicados em *THE THEOSOPHIST* durante o período de julho de 1968 a dezembro de 1969.

1

EM BUSCA DA SABEDORIA

No Diálogo que aborda a morte de Sócrates, Platão explica que o verdadeiro filósofo encontra a morte como a um amigo e não como a um inimigo, porque compreende a natureza da mudança que a morte causa. É uma mudança natural e feliz. A atitude de alguém em relação à morte depende de sua compreensão da vida, cuja real natureza é inseparável da verdade com relação à morte.

Filosofia significa literalmente "amor pela sabedoria". Estas são palavras verdadeiras, tendo cada uma delas um significado extraordinário e belo. Seria interessante para nós se tentássemos compreender a verdadeira natureza do amor e o que realmente significa sabedoria que não é, naturalmente, o mero conhecimento.

O verdadeiro filósofo, como se entendia nos tempos da antiga Grécia e também na Índia, não era um mero teórico ou intelectual com uma tendência a ser bastante inútil na vida prática. Tal pessoa debate algo que lhe interessa e tenta estabelecer a verdade de sua tese, porém pode agir diferentemente. Mas, de acordo com a visão antiga, a filosofia terá de refletir-se na vida da pessoa, e isso realmente se verifica.

A filosofia, que assim é refletida, pode não ser a mesma que ele professa. É apenas a vida que exterioriza a verdade, bem como os valores daquilo em que se acredita ou a ideia que se defende. Sabedoria significava, antigamente, o verdadeiro pensar, não meramente com relação a determinados assuntos abstraídos da vida, porém com relação a tudo que pertence à vida da pessoa. A sabedoria foi considerada como algo mais valioso que a pessoa pode possuir, constituindo verdadeira fonte de sua felicidade. A felicidade raramente combina com riquezas ou poder. Ocasionalmente podemos encontrar uma pessoa que está numa situação de autoridade ou que possui grande riqueza ou até mesmo governa um reino, e, ainda assim, é um filósofo, mas tal pessoa é uma raridade. Normalmente, muitas riquezas significam muitos problemas; uma preocupação contínua que distrai a mente e o interesse da pessoa das coisas mais importantes a perceber, compreender ou perseguir.

Há um enunciado, em um dos Diálogos de Sócrates, que diz que a sabedoria é a única moeda verdadeira pela qual todas as coisas deveriam ser trocadas. Vale a pena trocar tudo que se possa ter até por um pouco de sabedoria apenas. E compreendia-se que a sabedoria não precisa ser totalmente divorciada do prazer ou da alegria – que foi o erro em que muitas pessoas incorreram, especialmente na Índia. Elas procuravam formas de automortificação, a fim de alcançarem a verdade que se encontrava dentro delas próprias. Alegria moderada – usando a palavra em um sentido especial, no espírito certo e com a qualidade certa – tem o seu lugar na vida. Isso não significa que é preciso alegrar-se dentro de limites artificialmente estabelecidos pela própria pessoa.

Contudo, o filósofo não *procura* o prazer; ele aceita o prazer suavemente quando se lhe apresenta. Na vida há tanto o prazer como a dor. E é pouco realista e mesmo fútil abandoná-los ou colocá-los à parte, mas a nossa atitude em relação a ambos pode mudar completamente, e este é o tipo de mudança que ocorre na pessoa que pode ser considerada como verdadeiro filósofo. A sabedoria é relacionada àquilo que é bom e não àquilo que é aprazível, e estes são de duas naturezas diferentes. Constantemente os confundimos. Muitos há que pensam que aquilo que é aprazível é bom e se puderem ter o máximo de prazer, todo o tempo, então naturalmente para eles isto constituirá o bem supremo. Trata-se de uma grande falácia que precisa ser compreendida.

Quando tentamos compreender a natureza da sabedoria, verificamos que não podemos separá-la da vida. Ela, de fato, constitui síntese e perfeição de todas as virtudes que podem ser manifestadas na vida, tendo sido mencionada como a primeira entre elas. Isto significa dizer que é preciso inicialmente dar-se o surgimento de um pouco de luz no coração, antes que possa haver qualquer virtude. Foi John Milton que falou da Luz como a primogênita do céu, isto é, como a primeira coisa que emana da Fonte original, ou da Divindade, se podemos usar essa palavra de sentido indefinido.

Esta Luz e sabedoria, sendo retratada por Platão como a virtude que purifica a alma do erro. A palavra "alma" significa aqui a alma humana ou psique, porém não *Buddhi*, expressa por H. P. Blavatsky como constituindo a alma espiritual. Não pode haver erro, ou qualquer inclinação neste sentido, na natureza do Espírito. Porém, com muita frequência, na antiguidade, a palavra *"alma"* tinha o significado da psique humana que, de início, é escura, porém gradualmente passa a ficar purificada e iluminada com esplendor, de maneira que nela processa-se uma completa mudança de estado; a alma humana reveste-se, então, de beleza, contorno e forma da alma divina. É somente a sabedoria que, purificando assim a natureza da pessoa – um pensamento que também encontramos no *Bhagavad-Gitā*, onde dela se fala como o maior meio de purificação – possibilita à pessoa visualizar o "ser real" como foi chamado, isto é, a fonte da verdade.

Diz-se que o verdadeiro filósofo tem a sua mente fixa no "ser real"; isto é unicamente o que lhe interessa.

Afirma-se nas cartas dos *Mahātmās* que o Adepto vive na fonte da verdade. Naturalmente ele também vive no seu corpo. Ele come, anda, veste-se e assim por diante, mas a expressão significa que o centro do seu interesse está na fonte da verdade, embora esta realidade não precise separá-lo do mundo. Todos os Adeptos de quem se falou têm corpos físicos, porém muitos, segundo é dito, não têm tais corpos, e sim permanecem em contato com a Terra nos seus corpos sutis; eles não se afastaram do mundo.

É uma filosofia falsa que induz a pessoa a retirar-se ou fugir do mundo prematuramente. Esta assim denominada renúncia é de fato uma confissão de fracasso. A natureza em sentido maior não nos permite escaparmos das responsabilidades e dos nossos problemas; eles precisam ser resolvidos de alguma maneira. Se você foge pela porta dos fundos, enfrentará o problema novamente em alguma outra roupagem, nesta vida ou numa outra vida; a tarefa é apenas adiada. Este foi todo o conceito subjacente ao *dharma* na Índia. Uma pessoa tem que cumprir o seu *dharma*, sejam quais forem as dificuldades da sua situação e sejam quais forem os desprazeres envolvidos. Pode-se ver a verdade desse ensinamento à luz das leis da natureza, quando as compreendemos verdadeiramente.

    O Adepto vive com o mundo, embora dele retirado, a fim de cumprir a sua missão de puro altruísmo. A atitude de alguém que está dedicado à sabedoria deve ser a mesma. Trata-se de viver com o mundo pelo dever de fazê-lo, porém não estando envolvido com ele de várias formas, e podendo liberar-se dele apenas na forma correta. Existem centenas de maneiras de errar, porém apenas uma maneira de agir acertadamente. O homem sábio pode permanecer com o mundo, compreendendo a importância do trabalho que aqui pode realizar, mas ele não tem objetivos mundanos. Isso distingue o filósofo do ignorante, ignorante não dos fatos comuns da vida, mas das verdades essenciais. Aquele que objetiva alcançar a sabedoria, que poderia ser caracterizada como divina porque se originou do céu, não atribui muita importância à grandeza humana, o tipo de grandeza que geralmente é realçada pelas pessoas. O objetivo de ser grande surge do prazer de comparar-se com outros e achar-se de alguma forma superior ao seu nível. Deveríamos tentar libertar-nos da ideia de querermos ser grandes em comparação com outros, fazendo com que pareçam pequenos.

    Existe sempre um aparente paradoxo na atitude daquele que procura trilhar o caminho espiritual. Ele não evita o prazer; ele não tem medo de desfrutar a brisa fresca quando ela sopra, mas ao mesmo tempo ele não anseia por prazer de qualquer espécie.

    Ele está preparado para morrer a qualquer momento, mas não deseja apressar o acontecimento. Embora a sua mente esteja fixada naquilo que poderia ser chamado o ser verdadeiro, a verdade última, ainda assim ele é um amante de todo o conhecimento. Este enunciado precisa, todavia, ser compreendido corretamente. Não significa que ele sofre de uma sede de mais e mais conhecimento sobre tudo e todas as coisas. Isso seria uma espécie de tortura, uma existência muito sofrida, como o é a sede por qualquer outra sensação. Significa que na relação da pessoa com o conhecimento existe uma qualidade de amor com determinado desapego. Quando acontece de encontrarmos algum tipo de conhecimento com relação a algo pequeno ou grande, o aceitamos de bom grado; há um sentimento de aceitação e interesse na direção desse conhecimento.

Em Platão, esta descrição de um filósofo é bastante interessante: ele é um espectador da totalidade do tempo e da existência. Em outras palavras, ele possui uma visão universal, interessa-se por tudo, sem, no entanto, envolver-se. Isso não significa que ele não se preocupa como os demais que são afetados, mas sim que não está envolvido a ponto dos fatos poderem perturbá-lo.

Existe uma frase sânscrita, "Eu-Sabedoria", *Jnāna-Ātmā*, que também é descrita como Eu-Testemunha. A menos que haja um determinado grau de desapego, de modo que o Eu não se envolva com suas reações, não há possibilidade de se obter uma verdadeira visão das coisas, porque as reações pessoais sempre obscurecem a visão e o julgamento da pessoa. Para compreender aquilo que se observa, sejam eventos que se realizam no palco do mundo sobre os quais lemos todos os dias ou eventos na esfera da vida pessoal, e agir corretamente, a pessoa precisa ser capaz de olhar para essas coisas sem tomar partido e sem qualquer elemento de uma forma de pensar com desejo. É preciso ter um espírito de busca imparcial e livre para chegar à verdade com relação a qualquer coisa. Se determinado ponto de vista for expresso, ele não deverá ser imediatamente aceito ou rejeitado, mas primeiramente terá de ser considerado. É apenas ao restringir-se suficientemente e ao parar para considerar sem rejeição ou aceitação impacientes, que a pessoa poderá conhecer a verdade subjacente. Inicialmente, deve ser permitido atravessar o portal de nossas mentes e encontrar um lugar na antessala antes de que o julgamento possa ser emitido. Até mesmo se um ponto de vista for errôneo, dever-se-ia saber de que forma o é, qual é a natureza do erro nele envolvido e como surge.

Um ponto importante em relação a uma pessoa que busca a sabedoria é que ela terá de abster-se completamente de qualquer tipo de sofisma. Existem pessoas que têm um discurso inteligente, habilidoso e persistente, visando afirmar o que dizem. O que realmente desejam defender não é a verdade, mas apenas uma verdade aparente, algo plausível. Isso é o que fazem tantos advogados. Eles sabem que há verdade no outro lado, mas querem firmar a sua própria argumentação e usam todo recurso intelectual, recorrem a todos os pontos técnicos possíveis, precedentes e assim por diante, a fim de poderem defender aquilo que desejam. Não acho que seria bom para qualquer pessoa engajar-se neste tipo de arte. Um homem que visa adquirir ou alcançar a sabedoria, deve preocupar-se apenas com a verdade, e não estar interessado em enganar as pessoas ou confundi-las, mesclando os fatos e formando um caso. Todas essas formas de decepcionar a outros ou a si mesmo terão de ser completamente eliminadas da própria natureza antes que possam ser descritas como verossímeis. Aquele que procura ser um ocultista precisa ser verdadeiro em seu próprio pensamento, especialmente na maneira com que considera as pessoas, bem como em seu comportamento exterior. Nele deveria haver o amor pela verdade e por nada senão pela verdade. Antigamente a palavra "Filosofia" era usada para abranger a ciência, e assim implicava a necessidade de uma abordagem científica em todos os assuntos. Não havia uma ciência separada, no sentido moderno deste termo. Até mesmo nos primórdios deste século, a ciência foi mencionada em vários livros como "Filosofia Natural".

Há este outro paradoxo, como poderia configurar-se às pessoas que não se aprofundam no assunto, que o filósofo não se preocupa com a religião como é popularmente concebida e observada porque ela é amplamente autoilusória, mas, ainda assim, o filósofo e realmente religioso. Com frequência se diz que são os padres que enganam e desencaminham as pessoas, mas há uma propensão acentuada em todos nós de enganarmos a nós próprios e também de seguirmos o tipo de pessoa que mais nos agrada: assim, deveríamos culpar a nós próprios e não apenas aos outros. A religião para muitas pessoas é em grande parte uma espécie de *show*, um faz de conta.

A verdadeira sabedoria não apenas abrange a maneira de pensar e de agir da pessoa, mas também preocupa-se com as relações entre as pessoas e com o ordenamento da sociedade. Esta observação surge em um dos Diálogos: o filósofo tenta estruturar o Estado, seguindo o padrão celestial. Mas então é necessário ter-se uma ideia do que vem a ser o padrão celestial. Há também esta declaração análoga em que o filósofo convida o homem a viver de acordo com a natureza. Isto refere-se àquela natureza fundamental, que é a natureza na sua pureza, naquele seu aspecto em que se encontra o reflexo do pensamento divino. Este filósofo que está orientado na direção da verdade sob as aparências, que não se preocupa com as coisas que as pessoas comumente desejam e anseiam, não é uma pessoa mundana; ele é um místico. A palavra "místico" poderá ter conotações diversas e sempre que ela for usada precisamos tornar claro para nós mesmos o que por ela compreendemos. Há determinadas palavras – filósofo, místico, alma, amor e assim por diante – que recebem significados diferentes por pessoas diferentes.

Foi dito: "místico é aquele em cuja alma há harmonia." A alma aqui é a psique. Platão descreve a filosofia como a melhor e mais enobrecedora música. Todos amam a música, e todos nós dizemos que a música tem uma influência de aprimoramento sobre as pessoas, porém muito depende do que chamamos de música e do tipo de música. Quando atingimos determinado estado de compreensão, se todo o ser estiver pleno de amor – por uma outra pessoa ou pelas pessoas em geral, o amor na sua verdadeira natureza – encontraremos que toda a música perde força em comparação com este estado. Se a música é realmente bela, ela entrará em fusão com aquele estado do amor, ela intensificará ou expandirá o sentimento do amor; a música parecerá, então, exprimir os sentimentos dentro da própria pessoa. Mas é apenas a música verdadeiramente bela que fará isso. Parecemos não compreender que há música e música. Quando falamos de música, mencionamos uma determinada categoria, mas não devemos imaginar que toda música tem o mesmo valor. Quando se ouve música, deveríamos examinar a natureza de nossa própria resposta a ela e tentar descobrir qual o sentimento que ela evoca. Tantas pessoas apenas acompanham a música e perdem-se no ritmo que pode ser aprazível em seus limites.

Existe sempre o perigo, em qualquer espécie de regozijo, de ficarmos totalmente absorvidos, não nos conscientizando do que está nos acontecendo e de que tipo de resposta estamos criando em relação àquilo que nos regozija. O regozijo ou a alegria têm a tendência de tragar a mente, envolvendo-a em um turbilhão por eles criado. Todos sabem que ao vivenciarem uma sensação prazeirosa, desejando senti-la cada vez mais acentuadamente, nela tornam-se cada vez mais profundamente imersos. Se, no momento de regozijo, houver qualquer chamamento para o dever, por mais urgente que seja, a pessoa sentirá uma tendência a não atender ao chamado. Isso mostra que de alguma forma somos inibidos em nossa disposição de reagirmos. Existe esse tipo de perigo no prazer de toda a espécie. Não precisamos ter aversão ao prazer, mas deveríamos examinar-nos na medida em que nos entregamos ao prazer.

A sabedoria que reside na alma é a melhor e mais nobre música, porque nela há uma qualidade de harmonia presente apenas no melhor tipo de música. Ela tem também o poder de produzir harmonia em todas a nossas expressões e ações. A verdadeira sabedoria, enquanto distinta da assim chamada sabedoria de vários tipos, é algo raro. Não obstante, há esta observação feita por Sócrates de que é a única virtude que todo homem pensa possuir desde a sua infância. A pessoa pode reconhecer o fato de não ter aptidão para a música, não ter inclinação para matemática, que é incapaz em muitos sentidos e que falhou de várias formas após ter sido testada, mas, mesmo assim, acredita que tem a necessária sabedoria para avaliar todos os assuntos inerentes à vida, e as suas opiniões são tão boas quanto as de outros. Esta é uma forma de cegueira muito comum e que nos conduz para toda a espécie de erro e de loucura. É muito difícil escapar deste conhecimento imaginário quando não sabemos como fazê-lo. Tudo isso aplica-se a todos nós e não apenas a determinadas pessoas especiais que estão procurando algo remoto em suas vidas. A teosofia é uma filosofia em um de seus aspectos. Portanto, se realmente compreendermos, teremos de agir de acordo. Lembro-me do Senhor Krishnamurti ao dizer em um de seus encontros, quando alguém levantou a questão da reencarnação (atualmente ele nunca diz se é ou não um fato) "Você não acredita na reencarnação, porque se acreditasse você agiria diferentemente." Ao dizer isso, ele estava aplicando o teste pragmático. Estava dizendo que a pessoa pensa que acredita, mas engana-se ao fazê-lo.

O que precisamos compreender não é apenas determinadas coisas abstratas e remotas – *Parabrahman*, o Logos, e assim por diante – mas a verdade sobre todas as coisas que fazem parte do nosso dia a dia: o que é a verdadeira beleza, em que extensão é válida uma opinião, qual é a base da ação, qual é a natureza da vontade, será a mesma da obstinação ou persistência, ou será de natureza diferente e assim por diante. Precisamos ter a mente, o coração, e a disposição para examinarmos estas questões inerentes às nossas vidas, analisando-as de forma tranquila e cuidadosa. O exame não deveria tormar-se um assunto emocional que nos desequilibra, tornando-nos incapazes de pensarmos de forma fria e objetiva. É importante a forma como nos examinamos. Existe uma maneira de examinar que conduz à sabedoria, mas ela reside no desapego, na tranquila aceitação da própria pessoa em seu estado de tranquilidade. H.P. Blavatsky fala de examinar o eu inferior à luz do Eu superior. Quando usamos as palavras "o Eu Superior", não sabemos o que vem a ser; a frase para nós tem um significado muito reduzido na prática, mas isso não deveria ser assim. Evidentemente "à luz do Eu Superior" significa objetivamente com serenidade, sem qualquer tipo de condenação ou justificação próprias, uma tentativa desapaixonada e objetiva de ver as coisas como são.

Todos nós que somos teósofos deveríamos estar constantemente examinando nossas próprias atitudes, motivos, a maneira como falamos e agimos e todo o tipo de reações internas que se processam até mesmo sem nosso conhecimento. É apenas desta maneira que podemos atingir a verdade ou obter aquela transformação que é denominada a senda. Trilhar a senda significa produzir uma mudança total, e isso pode ser realizado apenas através da própria inteligência livre, do ser objetivo com relação a si mesmo, e de nenhuma outra maneira. Para ser objetivo, torna-se necessário estar consciente de tudo que se realiza interiormente. Se estivermos tão preocupados com as nossas próprias ideias, vivendo de forma sempre igual ou em um meio-sonho, naquele estado de ignorância que se diz ser a felicidade perfeita, então nos separamos da corrente principal da vida e estaremos fora de contato com a sua realidade. A senda é penosa de ser trilhada, mas ela nos muda completamente, tornando a nossa vida diária uma experiência totalmente diferente daquilo que costuma ser.

2

VERDADE OU IMAGEM DA VERDADE?

A verdadeira forma de ocultismo não é algo exótico, revestido de fantasias, como muitas pessoas imaginam que seja. Desde os tempos mais remotos tem sido uma ciência que se ocupa com os fatos ou com a verdade. A imaginação é uma coisa, e os fatos são algo diferente. Mas esta ciência específica também se ocupa com a vida e a consciência, e é somente quando a vida da pessoa está baseada na verdade que ela adquire o aspecto de sabedoria. A sabedoria não pode ser separada da vida; quando ela encontra o seu caminho na vida, esta começa a mostrar uma nova qualidade, um novo brilho e beleza diferentes daquilo que comumente se obtém.

A verdade não admite compromissos, embora o comportamento de uma pessoa possa fazê-lo. Convenções e oportunidades também variam de acordo com as circunstâncias. Poderemos estar unidos dentro de um espaço limitado. Eu, então, me acomodo às suas necessidades ou maneiras, e você faz o mesmo com relação a mim. Isso está certo e é necessário. Tal compromisso tem o seu lugar na vida; porém não podemos tomar liberdades com o nosso entendimento ou qualificar uma verdade sem torná-la inverídica. Não se pode misturar a lógica com ideias que são ilógicas apenas para satisfazermos a nós próprios.

A palavra "verdade" possui um significado tão extraordinário que poderíamos nem mesmo adivinhar a sua natureza. A fim de descobrir aquele significado, será necessário aplicar os mais rigorosos padrões à própria vida e à forma de pensar. Sem este procedimento será impossível atingir esta verdade na forma que precisa ser entendida em nós próprios, na forma em que se diferencia dos fatos externos às pessoas, que podem ser observados por qualquer um. Existem as coisas concretas ao nosso redor que podemos observar com as faculdades que normalmente usamos. Podemos compreender a sua natureza e propriedades ao menos superficialmente, mas a verdade significa muito mais do que tal compreensão e não deverá ser confundida com qualquer visão que se possa projetar, baseada em ideias preconcebidas ou em predileções pessoais. É fácil sucumbir aos grilhões de qualquer ilusão prazeirosa, imaginando-a verdadeira.

O que fundamentalmente causa a ilusão é a busca daquilo que proporciona prazer, daquilo que gratifica em qualquer nível que seja. Gostamos de aceitar algo mental ou fisicamente por proporcionar prazer, por ser conveniente fazê-lo ou por ser um pensamento confortante; é adequado a nossa forma habitual de pensar por assim dizer. Compreender a verdade não é a mesma coisa que assenhorar-se de uma ideia, e ater-se a ela com fervor. A mente é facilmente subornada pelo prazer. Com frequência damos prazer a alguma pessoa, a fim de conseguir que ela faça o que queremos que faça. Esta é uma prática que evidencia resultados em toda parte. A mente concordará voluntariamente com o doador do prazer. Portanto, é necessário sermos rigorosos conosco no que tange ao vivenciar a verdade – e esta é uma base necessária para o ocultismo.

Aliás, poderia dizer que em país algum no mundo a importância de vivenciar a verdade foi tão enfatizada como na Índia, onde *satyam* (verdade) e *ritam* (retidão) foram proclamadas como sendo inalteráveis. "Somente a verdade conquista" é a antiga máxima adotada pelo governo indiano. É amplamente aceita enquanto palavra, mas poderíamos perguntar: até onde está sendo honrada na prática? Isso é algo que todos terão que descobrir em relação a si mesmos. Apenas se pode aplicar testes práticos à própria conduta para ver em que extensão a verdade está sendo vivenciada.

A maioria de nós não compreende que há uma distinção importante a ser feita entre a verdade e a imagem da verdade. Em tantos temas, o que efetivamente é verdadeiro é uma coisa, mas nós agimos como se a conduta que entretém as cores da verdade também solucionasse a questão. A distinção entre estes pontos é destacada por Platão em um de seus Diálogos.

Não deveríamos fazer esta distinção de modo puramente metafísico, como fizeram os filósofos na Índia ao falar de *Sat* e *Asat* – aquilo que é o verdadeiro ou o existente, e aquilo que não é o verdadeiro, uma ilusão ou mito. Tudo isso encontra-se em algum plano elevado, mas deveríamos tentar aplicar a distinção ao plano da vida e do pensamento prático, sem o que os termos metafísicos tornam-se meros instrumentos para o jogo e a diversão.

Na diplomacia, é a imagem da verdade que está sempre sendo praticada para agradar, e todos os envolvidos sabem que isso é uma realidade. Um diplomata bem-sucedido precisa ser agradável em seus modos, do contrário não lhe será possível conquistar as suas finalidades. Ele deverá sorrir, sorrir e sorrir, muito embora seus propósitos possam ser vis. A habilidade de insinuar-se e agradar é considerada requisito para o êxito naquela profissão; geralmente os cortesãos dos reis e príncipes tinham modos perfeitos, mas com frequência os exibiam exageradamente, ou para afirmarem melhor a sua posição, ou porque todos nós temos a tendência de exagerar em tudo que achamos ser bom em nós. Mas ao mesmo tempo os cortesãos, enquanto uma classe, eram intrigantes e'mentirosos, com algumas exceções. Os modos encantadores nem sempre podem representar boas intenções ou uma mente e coração belos.

O comerciante também precisa ser bem habilidoso em seu discurso e afável para poder fechar os seus contratos. Podem existir alguns comerciantes que, tendo-se elevado até o topo, podem permitir-se ser francamente ásperos. Também deve haver alguns que são retos em suas opiniões, não obstante todas as tentações, mas, falando de modo geral, a tendência seria de agir de tal maneira a fazer com que o cliente realize aquilo que o comerciante dele deseja, do último ser simpático a fim de agradar ao primeiro. Grandes importâncias financeiras são fornecidas como subsídios para grandes executivos do comércio para o entretenimento e agrado de clientes potenciais.

No campo do Direito é comum, para o advogado que visa ganhar o seu caso, argumentar de tal maneira que "a pior razão se configure como sendo a melhor". Isso está sendo feito constantemente. O juiz precisa ser incisivo e bem instruído para que não seja dominado por esta argumentação habilidosa.

Falando de uma maneira geral, a busca do êxito, na medida em que depende de outros, exige um padrão de comportamento adequado. Quando os reis estão no poder, somos monarquistas; quando a monarquia cai, poderemos tornar-nos republicanos; mas, se ela for restaurada, então teremos novamente de penetrar no campo da monarquia. Este tipo de conduta tem sido praticado por algumas pessoas muito famosas. Elas têm sido capazes de permanecer na crista de toda onda de mudança, embora outros ao seu redor sejam vencidos e obrigados a sucumbir.

Viver uma vida de verdade não consiste meramente em falar a verdade. Pretender ser aquilo que não somos é tão corruptivo quanto a inverdade no discurso. Em nosso coração precisa reinar o amor genuíno pela verdade. Somente podemos ser integralmente verdadeiros se valorizarmos a verdade e atribuirmos importância a ela em nossa vida e pensamento, ou então precisamos estar tão plenos de amor que não podemos nutrir o menor desejo de enganar. Quando vivemos uma vida de verdade, começamos a amar o próprio sentimento de sermos verdadeiros, e toda a nossa natureza assume uma forma que se harmoniza com a verdadeira natureza das coisas. O mero conhecimento não criará esta harmonia. O amor pelo conhecimento não é o mesmo que o amor pela verdade, sem a qual não há possibilidade de sabedoria.

Esta é a era da propaganda para diferentes finalidades. A tentativa da propaganda é sempre a de construir uma imagem atraente. A palavra "imagem" está muito em voga atualmente, porque as pessoas se preocupam não com a verdade, mas com o êxito e a imagem que está sendo apresentada. Existe uma tentativa para criar uma imagem da própria pessoa ou de outros, seja como presidente, líder, instrutor religioso, candidato, etc. Também é criada uma imagem dos produtos para que as pessoas os adquiram. Todos os especialistas em publicidade buscam criar nas mentes dos leitores de jornais e revistas, ou através de televisão e cartazes, uma imagem que fará com que as pessoas se deixem levar pelos objetos que estão sendo anunciados. Mas a imagem é apenas um fantasma, uma aparência, e a menos que ela reflita o que realmente é, a atração criada será uma atração falsa.

Se a humanidade, ou qualquer parte dela, tiver de progredir em qualquer medida real, isso apenas poderá ser feito por uma mudança verdadeira, através de forças que geram melhorias nas mentes das pessoas, nos seus gostos, nas suas visões, valores e comportamentos, e não através da criação de ilusões prazeirosas e atribuição de virtudes imaginárias a homens ou objetos, seja para lucro, para fins tirânicos ou de glória. Criar impressões que não correspondem à verdade deixam as coisas como estão e dão origem a ações da parte da própria pessoa e da de outros que positivamente impossibilitam qualquer real mudança para melhor. Qualquer glorificação, que não se origine de um sentimento real pela pessoa e apreço pelas suas qualidades, é apenas um truque de feitiçaria e produz hipnotismo de massa, como foi o caso na Rússia, na Alemanha e outros lugares. A bolha, por mais colorida que ela possa afigurar-se em determinada ocasião, eventualmente terá que romper-se e depois haverá desilusão e uma forte reação àquilo que se realizou anteriormente.

Falando de amor ou afeição, o mundo seria melhor pela realidade do amor no coração das pessoas, ou pela simulação do amor que pode revestir-se de muitas formas enganosas? Pode-se criar uma impressão de amizade, como é feito pela estrutura política portentosa, mas isso é apenas parte do jogo diplomático. O que conta é o sentimento ou o espírito de amor dentro da pessoa e isso é o que ajuda os demais. Eu não sei a extensão do bem de "fingir uma virtude, se você não a tem". Podemos satisfazer-nos facilmente com o fingimento e não atentar para a realidade. Se o substituto opera bem, por que preocupar-nos em encontrar a peça genuína?

A palavra "Deus" é um substituto comum para o Deus Real ou Realidade Última. Deus é algo sobre o que nada sabemos, mas sobre o qual podemos formar as noções que quisermos; existem todos os tipos de ideias sobre Deus, muito embora na prática a sociedade, o estado e a religião nem sempre permitam que se tenha ideias próprias. Tempos houve em que as pessoas foram perseguidas por defenderem ideias diferentes daquelas da comunidade, envolvendo Deus, a natureza do universo ou qualquer outro assunto, por mais desligado que estivesse de sua conduta e vida. Eles eram considerados hereges e queimados por mera suspeita. Herege era alguém que não apenas não se conformava externamente com padrões estabelecidos, ou professava abertamente uma ideia contrária àquilo que constituía a ordem, mas até mesmo o fato de parecer estar nutrindo determinados pensamentos era considerado pecaminoso e subversivo.

Não se pode dizer que um símbolo está destituído de valor. Pode não haver outra forma de nos referirmos objetivamente à realidade, mas um símbolo não passa a ser aquela realidade. Ele poderá ter o seu valor desde que compreendamos que é apenas um indicador ou um substituto da coisa real. Toma-se um fetiche quando é adorado no lugar da realidade. A partir de um ponto de vista, um símbolo é uma sombra, e a luz está por trás do homem que está olhando. No "Mito da Caverna" de Platão, a luz está por trás dos homens que estão olhando para as densas sombras na parede na frente da qual se encontram. A sombra tem o valor de indicar a presença da luz e de dar um esboço do objeto que a obstrui, mas é necessário olharmos na direção adequada em busca da luz em si.

É importante viver o tipo de vida implícita na palavra "espiritual", ou ser conhecido como alguém que obteve êxito em um campo desconhecido, sustentando um rótulo envolto por um halo artificial? Pensar em algo considerando-o ser espiritual é uma coisa, e realmente ser espiritual, sem nisso pensar de modo algum, e algo inteiramente diferente. Um homem, que é conscientemente espiritual, não pode ser espiritual na realidade. Deveria alguém renunciar àquilo que se pode renunciar facilmente, sem fazer disso um problema, ou ser conhecido como uma pessoa que renunciou?

Neste país, a Índia, temos muitos exemplos de renunciantes ostensivos. Eles enfeitam as margens do rio Ganges e também podem ser encontrados em outros lugares. Mas um homem que verdadeiramente renunciou a determinadas coisas não terá prazer em chamar qualquer atenção àquele fato. Quando uma pessoa fala em renúncia, pode ser que ela renunciou a algumas coisas, como tomar café pela manhã, mas definitivamente não renunciou à coisa primária, que é o seu eu. Toda a tendência da mente humana atualmente é de materializar e degradar tudo que é verdadeiro ou real, reduzindo-o ao nível meramente mundano. Temos tanta habilidade de usar a palavra "espiritual" com uma mente material e em um espírito materialista.

Quando falamos acerca dos caprichos da "mente" e não de uma pessoa em particular, podemos ser bastante impessoais. Pensamos na mente como sendo um dos elementos da existência com determinada natureza. Ela está sujeita a ilusões, mas é possível para ela encontrar a verdade e libertar-se. Não precisamos identificá-la com alguém em particular e dirigir-lhe críticas, aberta ou veladamente. Pode-se criticar a si próprio bem como aos demais. Porém, a crítica, até mesmo dirigida para alguém, não precisa visar à descoberta de falhas, ela pode ser uma simples compreensão daquilo que não está certo ou daquilo que está errôneo ou falso no pensamento e comportamento da pessoa. É simplesmente como avaliar um quadro: é belo ou não? Este tipo de crítica é de valor, porém não visa à descoberta de falhas, culpando alguém ou si mesmo – tudo isso, por ser vão e infrutífero, torna-se mera autodecepção.

Referi-me ao julgamento de um quadro, mas aqui também deve-se fazer uma distinção entre o real e o irreal. O quadro pode ser realmente belo ou pode apenas ter uma assim chamada beleza superficial. A beleza de ordem mais elevada surge de uma profunda compreensão, surge da própria vida ou de uma fonte desconhecida em seu interior. Então terá o selo da verdade, mas poderá também existir aquela "beleza" que é sintética, que é apenas uma aparência, uma mera apresentação.

Para nos aproximarmos ainda mais do cerne da questão: quando usamos a palavra "amor" em relação a outro, será que realmente amamos, ou apenas achamos que amamos aquele outro? Existe uma grande distinção entre pensar que amamos e amar de fato. Meramente ensaiar a ideia do amor e usufruir o prazer que causa, não traz o amor, é apenas um exercício. Mas somos tão capazes de nos iludirmos, pensando que amamos toda a humanidade, até mesmo quando não amamos os indivíduos que a compõem. Precisamos traçar uma distinção clara entre aquilo que é real ou verdadeiro e aquilo que é apenas forjado pela mente. Isto requer uma inteligência muito aguçada e um constante discernimento da diferença entre o real e o imaginário.

Será realmente importante para uma grande causa possuir propriedades enormes, um império e toda a parafernália envolvida, ou as pessoas que a seguem possuírem a forma correta de sentimento e entendimento? O espírito necessário nunca pode ser ostentado, exibido permanentemente ou divulgado de nenhuma maneira. Ninguém pode dele obter dinheiro.

Tais distinções podem abranger todos os campos da vida, todas as nossas atividades e pensamentos. Será apenas quando a mente estiver suficientemente alerta para perceber essas distinções, para separar a luz da escuridão, que ela poderá chegar na verdade das coisas.

Constitui a grande assertiva dos instrutores espirituais que podemos conhecer a verdade absoluta e não apenas argumentar a seu respeito, chegar a ela através do raciocínio, ponderar sobre ela ou postulá-la. Podemos *conhecê-la*, assim como conhecemos a nós próprios. Podem existir algumas hipóteses que ajudam a explicar; são valiosas, desde que plausíveis e esclarecedoras; podem até mesmo ser necessárias para ligar as lacunas em nossa observação e pensamento. Quando não conseguimos ver, a ligação ou a suposição nos possibilita conectar aqueles fatos que são percebidos. Como não vemos a conexão na natureza entre um evento específico e outro, mas vemos que deve haver uma conexão, tal suposição será um substituto temporário para uma verdade que se é incapaz de perceber no momento.

Eu iniciei este capítulo com a palavra "ocultismo". Ocultismo é uma empreendimento muito mais exigente e rigoroso do que poderíamos pensar. Não é simplesmente contar histórias de fadas e nelas acreditar – esse é ocultismo para crianças.

Deve haver, especialmente em uma sociedade que se interessa naquilo que é chamado o oculto, uma orientação que a fará progredir até a verdade absoluta em todas as coisas sem satisfazer-se com as aparências. Precisamos ser muito cuidadosos em cada etapa para ver que estamos prosseguindo no caminho da verdade, que é também o caminho do verdadeiro amor, não nos satisfazendo com ilusões com relação a nós próprios ou com a natureza das coisas porque elas são confortantes ou agradáveis.

3

LIBERDADE DE OPOSTOS

A expressão "Caminho do Meio", usada nos ensinamentos budistas, foi interpretada como um caminho da vida que evita os excessos do ascetismo e da automortificação de um lado, e a indulgência na busca de prazeres na luxúria, de outro. Possivelmente Buda referiu-se às condições que havia na Índia no Seu tempo e usou a expressão principalmente com referência a elas. Mas ela é susceptível de um significado muito mais amplo. Os extremos mencionados representam um par de opostos. O *Gitā* menciona outros e fala no transcender de todos os pares de opostos. Cada oposto em qualquer par realmente produz o outro. Este fato é destacado por Platão em um dos Diálogos. Uma pessoa que irá a um extremo, após algum tempo, tenderá a deslocar-se ao extremo oposto. A partir de uma ação violenta, que com certeza experimentar-se-á, surgirá uma repercussão que levará na direção oposta. Com efeito, cada oposto sutilmente oculta a natureza do outro.

Tomemos um exemplo: o tipo de coragem que é induzido na pessoa pela autossugestão ou pela simulação de um semblante exageradamente destemido, realmente constitui uma máscara de medo. Como você tem medo, no seu íntimo você se reveste de ares que sugerem o oposto do medo. Esta coragem aparente não dura muito.

Também nos assuntos humanos verifica-se o constante jogo de opostos. Onde há tirania ou opressão, a revolta sempre é provocada, seja ela aberta ou forçada a silenciar ou ocultar-se. A Dra. Annie Besant costumava dizer que ela admitia o direito dos indianos naquela ocasião de se revoltarem contra o domínio britânico se consideravam que não havia outra maneira de conquistar a liberdade para o seu país. Porém, vendo as consequências que surgiram da revolta e conhecendo o povo britânico comum como conhecia, com sentido geral de justiça, ela advogou a adoção de meios constitucionais de que tinha certeza obteriam êxito.

Na história, todas as revoltas justificam-se apenas pelo seu êxito. Se você falhar, você é o traidor; se você tiver êxito, você é o pioneiro, o pai da nação, o libertador, o grande herói. Estes títulos são outorgados aos homens que se revoltam com êxito e não àqueles que defendem uma causa até mesmo quando todas as probabilidades forem contrárias e sem qualquer perspectiva de sucesso. Com frequência as forças revoltosas, ao terem êxito, estabelecem uma tirania própria. Com relação ao povo em geral, verifica-se nada além de uma troca de senhores, talvez com um sistema diferente, mas com a mesma ditadura que antes reinava.

O fato é que toda a natureza é governada pela lei de ação e reação, e todas a leis com as quais estamos familiarizados são mecânicas. A natureza, movida por este jogo mecânico, está sujeita a forças alternantes e contrárias; e assim também é a natureza humana. Cada partícula elementar que foi descoberta tem sua contraparte ou oposto. As forças que constituem estas partículas parecem estar sujeitas às mesmas leis mecânicas.

Mas, profundamente no homem, há uma natureza que não sofre do jogo de opostos – esta é uma distinção fundamental entre aquela natureza que pode ser chamada espiritual e a natureza nele atualmente tão evidente que se modela no jogo de forças no campo da matéria. A natureza humana que reflete a mente do homem, como a vemos, pode ser governada pelas leis da matéria, da ação, que é de fato reação, ou ela pode refletir a natureza do Espírito. Essas são as duas possibilidades. Uma delas vivenciamos na nossa ignorância, mas há também a outra possibilidade que torna a vida totalmente diferente para aquele que a compreende.

Os opostos na natureza têm o seu lugar, mas existem também opostos aparentes que são na verdade complementares, como masculino e feminino, forças positivas e negativas, emoção e intelecto, terra e céu. Espírito e matéria constituem um par deste tipo. São opostos enquanto a verdadeira relação entre eles não for percebida, e as forças que representam não estiverem harmonizadas naquela natureza do homem que tem algo de ambos. Quando aquela natureza torna-se harmonizada, ela age com um equilíbrio que é uma mescla de opostos aparentes. Por exemplo, pode existir em alguém uma mescla perfeita de força e de afabilidade, embora cada uma dessas qualidades pareça muito diferente uma da outra. A natureza em que se mesclam perfeitamente é a natureza espiritual.

Quando usamos a palavra "espiritual", não deveria haver qualquer noção fantasiosa sobre ela. Ela não significa algo distanciado da vida, aberto a diferentes interpretações por mentes diferentes. Refere-se a algo que existe de forma absoluta. Pode-se saber do que se trata apenas através das qualidades que manifesta. Para obter a verdadeira compreensão de algo, será necessário olhar para os fatos envolvidos, evitando ideias que são meras projeções a partir de uma base de ignorância.

Para tomarmos outro exemplo, aquela natureza que pode ser chamada espiritual sempre tem presente em si o atributo de uma sensibilidade extrema, uma inteligência que responde imediatamente ao mais leve toque. Embora esta resposta pareça automática, ela surge de uma percepção da verdade com relação ao que quer que a toque; portanto, esta resposta é determinada por aquela verdade. É a resposta de uma natureza que é suscetível, porém não influenciada. Ela não se entrega indistintamente a qualquer coisa e nunca se deixa dominar; mas também não se diminui ou foge de qualquer coisa que atravesse o seu caminho – que seria o oposto da "entrega" – ela mantém a sua liberdade e equilíbrio.

A verdade no interior da pessoa significa que há sempre ação livre, não forçada, oriunda da própria inteligência e da vontade livre, isto é, sem jamais envolver-se ou estar sujeita a forças que obrigam ou determinam as ações da pessoa. Se a pessoa fosse incitada a um curso de ação, ou até mesmo influenciada por adulações abertas ou sutis, por ameaça ou pressão, por alguma espécie de engodo, isso seria uma ação produzida, não livre. A natureza do Espírito ou a natureza espiritual permanece sempre livre.

Se todo pensamento e todo sentimento se originarem de um estado interior em que nenhuma influência externa perturbe-os ou modifique-os, então é realmente um estado de encontrar-se só, porém não em alheamento ou solidão. Mesmo esta condição de encontrar-se só, na qual a natureza que está tão só mantém a sua pureza e integridade originais, é compatível com relações íntimas e profundas. É como a relação entre os raios do sol que incidem em um objeto, talvez interpenetrando-o, e o próprio objeto em si. A intimidade surge da natureza de sua percepção e resposta. O contato íntimo e uma relação que penetra a natureza interna do outro, por um lado, e o encontrar-se só e a pureza, por outro, parecem incompatíveis. Contudo, estão igualmente presentes enquanto qualidade ou capacidade naquela natureza, que pode ser verdadeiramente descrita como espiritual.

Krishnaji fala de uma natureza da mente e do coração que é vulnerável, à qual se refere como sendo sensível ao toque mais leve, não opondo qualquer resistência. Ela é sintonizada de uma forma tão bela que responde a cada vibração e de nada impede a entrada. Poderíamos pensar que, neste caso, em breve, desgastar-se-á ou se confundirá com impulsos contrários. Mas como não há resistência, toda onda que surge a atravessa e nunca é detida. A eletricidade, até mesmo nas voltagens mais elevadas, não afeta o seu meio condutor se não houver qualquer resistência. Se alguém for ferido ou ofendido por alguma coisa que aconteça ou por alguma observação que lhe seja feita, ou a seu respeito, é porque existe nele um eu que resiste e ressente-se. Mas é possível chegar a uma condição interna em que a pessoa não é ferida de modo algum. Ela então será tanto vulnerável como invulnerável, por mais paradoxal que isso possa parecer. Aquilo que imaginamos ser o eu, o eu próprio, é um sentimento sombrio e difuso, difícil de localizar, que surge de uma condição de estar encerrado, de encontrar-se em um invólucro, no qual todas as reações estão confinadas e que, portanto, permanecem existindo, na maior parte, de forma subconsciente, submetendo-se a permutações e combinações. O fato de que isso ocorre pode ser compreendido por qualquer um de nós, desde que se observe a si mesmo cuidadosamente. Este eu é uma entidade ilusória, que guarda muitas forças de naturezas variadas e contrárias e dá origem ao jogo de opostos. Ela divide uma natureza, que do contrário seria homogênea, em seções que variam reciprocamente.

O *Gitā* descreve uma estrutura da mente, um estado de espírito, que não é assim dividido e que é "igual em relação a amigo e inimigo", "o mesmo na honra ou na desonra", "entre o êxito ou o fracasso". Comumente, quando encontramos o êxito, prosseguimos alegremente e ficamos exultantes e felizes, mas, quando encontramos problemas e derrotas, ficamos .acabrunhados e deprimidos. No entanto, pode-se estar num estado de equilíbrio, que se origina da pura simplicidade de aceitar o que quer que seja e em fazer o que vale a pena ser feito em qualquer circunstância. É um estado da mente e do coração de extraordinária beleza, o que encara as coisas desta maneira. Esta equanimidade ou igualdade de espírito é descrita pelo *Gitā* como "*Yoga*" – na verdadeira acepção da palavra um estado unificado. E é este estado unificado que é o estado verdadeiramente natural em que a unidade do Espírito obtém e manifesta suas potencialidades e harmonia.

Vemos diferenças em toda a parte na natureza. As diferenças que existem na natureza das coisas no campo da matéria são refletidas no campo da mente e das emoções e ali geram reações, enquanto ainda se encontram em um estado de inconsciência. O *Gitā* fala da liberdade dessas reações que são prazeres e desprazeres, paixões, avidez, ódio e inveja. Quando as reações cessam de existir, há um espírito de igualdade no coração das pessoas, boa vontade comum, preocupação e consideração em relação a todos, o elevado e o usual, o simples e o erudito e assim por diante. A natureza em que se manifesta esta mesma atitude é a natureza verdadeiramente espiritual.

O homem espiritual pode possuir o conhecimento tanto da ciência como do ocultismo (este último também é" uma ciência), mas ele carregará este conhecimento suavemente como se existisse e ao mesmo tempo não existisse. Assim, no seu caso, o conhecimento coexistirá com a inocência. Ele poderá falar com uma criança de maneira que a interessa e a orienta, e nesta relação com a criança ele estará tão à vontade como em qualquer tipo de troca com outras pessoas mais eruditas e experientes. Isso ocorre porque ele possui um coração de criança que não é suprimido pelo seu conhecimento. Ele também terá um conhecimento da natureza humana com tudo que é bom e ruim nela, o feio e o belo; porém, conhecendo tudo isso, será capaz de amar o homem em sua benevolência. O conhecimento do mundo com todos os elementos desagradáveis nos homens, a impolidez, a corrupção, as tentações oferecidas e aceitas e acima de tudo a brutalidade, poderiam parecer incompatíveis com o amor que se associaria a um coração puro e inocente. Contudo, pode haver tal amor juntamente com o conhecimento, e é a natureza na qual ele reina supremo que é a natureza espiritual. É uma natureza que responde à verdade em tudo, ou, para usar outra palavra, que neste contexto é sinônimo de verdade, à beleza nelas inerente. A resposta mais natural àquilo que é belo, não apenas à beleza exterior de uma pessoa, mas também à beleza interior, à luz nela oculta, é o amor. Quando se reage ao vulgar, como muitas pessoas parecem fazer atualmente, quando a resposta está com os impulsos físicos de luxúria, também acentuados na atualidade, essa é a resposta do eu. A resposta pura é de uma natureza diferente, que é uma natureza de autonegação.

Em um estado de negação absoluta na própria pessoa, que é a negação do eu, a ação que se instala surge livremente, a partir da verdade que então se manifesta em lugar do eu. A sua ação é como aquela do artista perfeito que conhece instintivamente por onde traçar as linhas. Da mesma maneira sabe-se então aquilo que está certo e aquilo que não está; a pessoa expressará em seu trabalho uma disciplina natural inata que consiste em evitar aquilo que é grosseiro ou prejudicial, aquilo que é desproporcional ou não belo. A partir do estado de negação surge uma energia positiva que possui grande inteligência ou sentido inato. É a energia do "Eu Uno" do pensamento filosófico indiano. Aquele Eu Uno está só porque não tem outro a acompanhá-lo. Estando só, está sempre puro e não afetado por qualquer coisa que possa surgir e com ele estabelecer contato. Na natureza daquele Eu ou a natureza do estado negativo, não há divisão, nenhum conflito. Por não ser afetado, está para sempre isento das contrariedades e desequilíbrios dos opostos. Contudo, age sempre baseado em mil e uma maneiras, a partir de sua própria liberdade, porém sempre de tal forma que nunca perde aquela liberdade – e este é o caminho certo e o caminho perfeito.

Pode parecer paradoxal que um estado de liberdade possa conter dentro de si o segredo da correção absoluta, bem como a perfeição. Isso ocorre assim porque compreendemos a liberdade em um sentido que não é liberdade real, uma condição que não está sujeita à atração ou a repulsão. Nesta condição, a ação está de acordo com uma lei inata que em um indivíduo é a lei do seu ser. É uma lei que, entre os componentes daquele ser, sempre mantém um estado de harmonia. O nosso conceito de perfeição também incorpora, de forma consciente ou inconsciente, essa harmonia que é a manifestação de uma unidade na diversidade.

4

A BELEZA DA VIRTUDE

Existem determinadas palavras na língua inglesa – e em outra línguas também – cujo significado nos é apenas parcialmente conhecido porque precisa ser descoberto através da nossa própria vida e ação. "Sabedoria" é uma palavra assim. Podemos ter um determinado conceito do que ela significa, porém este conceito, mesmo que esteja vago e falho, provavelmente será parcial em sua verdade. Podemos não saber o que é sabedoria em sua verdadeira natureza, sua qualidade, beleza e ação.

Virtude é outra palavra assim. Às vezes usamos a forma singular "virtude" para abranger tudo daquela natureza; às vezes falamos sobre "as virturdes" no plural, distinguindo uma da outra. As virtudes, assim divididas, têm sido classificadas de formas diferentes.

Por exemplo, no pensamento grego clássico, consideravam justiça, temperança, coragem e prudência como as virtudes principais. Essas palavras, sendo traduções do grego original, podem não transmitir exatamente o sentido em que eram entendidas naquele tempo. Mas, usando as palavras para referir-se ao seu significado atual comum, não parece claro o porquê dessas virtudes específicas terem sido consideradas fundamentais, sendo outras presumivelmente adicionais ou subsidiárias. Por mais excelentes que possam ser quando exibem a qualidade correta e indispensável como base para a conduta individual e da sociedade, são virtudes que pertencem ao campo da razão onde se precisa partir das premissas corretas. Qualquer homem inteligente pode ver que a prudência, por exemplo, é necessária para proteger os seus interesses, e a temperança ou a moderação, para assegurar o seu próprio bem-estar. Juntamente com a coragem e a justiça, elas seriam aceitáveis para qualquer homem médio, em conformidade com a sua sabedoria mundana, porém, autointeresse e virtude, em seus aspectos superiores, podem não combinar.

Quando a influência do Cristianismo espalhou-se pela Europa, outras virtudes de um caráter predominantemente não mundano como humildade, caridade, amor e fé assumiram uma posição de importância. Foram consideradas como as mais próximas do coração de Deus ou da natureza divina.

Na escola de pensamento *Mahāyāna* do Budismo setentrional, o caminho da virtude era identificado com a verdadeira sabedoria, bem como com a ação de autossacrifício; foi concebido como sendo marcado por sete portais, cada um dos quais exigia determinado tipo de desenvolvimento, representando um aspecto da perfeição humana e tendo suas raízes em uma natureza incorrupta e incorruptível presente no âmago de cada ser humano. A chave para o primeiro portal, conforme é explicado na obra *A Voz do Silêncio*, de H. P. Blavatsky, é *Dāna*, uma palavra sânscrita, traduzida por ela como "caridade e amor imortal". Literalmente a palavra significa doação, mas é uma doação sem reservas, com o coração e também com as mãos. A menos que a viagem seja realizada a partir de uma motivação pura de altruísmo, do desejo de devotar-se à felicidade e à iluminação de cada ser humano e ao bem de cada criatura viva, não poderá ser empreendida de forma alguma. O coração e a mente da pessoa precisam primeiramente sintonizar-se com o coração e a mente de todos os seres vivos.

O segundo portal representa *Shila* – todos eles com nomes em sânscrito ou páli – geralmente compreendido como o viver limpo e reto em todos os aspectos da vida e conduta da pessoa. H. P. B. o traduz como "harmonia em ato e palavra", visto que a harmonia no interior da pessoa, inseparável do viver correto, manifesta-se como harmonia em ato e palavra.

O terceiro portal significa *Kshanti*, que ela descreve como "doce paciência que nada pode perturbar". O significado dicionarizado comum da palavra inclui tolerância e perdão.

As próximas duas virtudes são *Vairāgya* ou imparcialidade e *Virya* ou energia. H. P. B. traduz *Vairāgya* como "indiferença ao prazer e à dor, conquista sobre a ilusão, percepção somente da verdade", e *Virya* como a "energia intrépida que vence seu caminho para a verdade suprema". Não é o tipo de energia que pertence às coisas da matéria, mas a energia da vida ou Espírito que surge de um estado puro incondicionado, e que, portanto, pode manifestar o ardor ou paixão máximos e mesmo assim permanecer desapegada, não se envolvendo nas coisas por entre as quais se movimenta.

Os dois últimos portais designados, *Dhyāna*, significando contemplação ou estado meditativo, e *Prajnā*, compreensão perfeita, realmente são condições de existência em que podem estar presentes as qualidades de qualquer uma ou de todas as virtudes.

Quando usamos a palavra "virtude", qual é nosso conceito a seu respeito? Comumente nos ocorre uma fórmula, princípio ou preceito ao qual precisamos adaptar-nos. Ao procedermos desta maneira, sempre há uma lacuna entre aquela fórmula, que é o ideal, e a realidade, e isso passa a ser uma causa de conflito para a pessoa. O ideal pode ser verdadeiro, não apenas em palavras, mas também em conduta e pensamento. Se não se consegue alcançá-lo, a menos que se ame a verdade pelo que em si significa, sem um eu na busca de êxito, um sentido de realização e boa opinião de si mesmo, certamente haverá insatisfação, e isso poderá até mesmo ser transferido ao ideal. Tal insatisfação poderá conduzir a um questionamento do próprio ideal ou até mesmo resultar em uma revolta contra ele. Podemos notar este tipo de reação no caso de uma pessoa que deseja abrir mão de algo a que se sente fortemente vinculado, mas acha difícil fazê-lo. Depois de algum tempo, poderá até parecer-lhe que é bom entregar-se à fraqueza em determinada medida, pois alivia tensões, conduz a boas relações e assim por diante.

A virtude pode ser considerada sob outro prisma, não como conformação a uma regra ou princípio que é colocado diante de nós e que aceitamos por uma ou outra razão, mas como a expressão espontânea e livre de uma natureza ou ser básico puro que se encontra em cada homem, uma natureza que é incorrupta e, de fato, incorruptível. Quando aquela natureza passa a agir, a forma pela qual age é em si mesma o caminho da virtude. É esta virtude que Lao-Tsé, o grande filósofo chinês, expõe em seu famoso clássico, mas ela requer uma claro *insight* para que seja vista como um fato. Para nós a questão é a seguinte: Será que vislumbramos a existência de uma tal natureza em nós próprios como uma possibilidade? Se esta possibilidade existe, então, referindo-nos à virtude em geral ou às virtudes, todas elas são caminhos ou formas de ação assumidas pela energia que se origina daquela natureza pura, para sempre incondicionada, não modificada por qualquer influência exterior.

Na nobre óctupla senda, ensinada pelo Buda, o primeiro de todos os passos e "o discernimento", e não a fé, como é tão frequentemente mal traduzida a palavra *pāli*. Constitui um discernimento para dentro de si a maneira com que a pessoa é afetada por todas as coisas que a rodeiam e como ela reage, as suas próprias ações e reações, que a colocam no caminho da sabedoria. Então, poderá haver reto pensar, reto falar, reto agir e assim por diante, que são os outros passos. Mas deve-se ter a capacidade de ver aquilo que está certo e aquilo que não está em todas as formas da própria ação, incluindo o pensamento e o discurso.

Quando a virtude for assim compreendida, como uma expressão totalmente livre e espontânea de uma natureza existente em todos nós, ao menos potencialmente não haverá vontade envolvida. A vontade somente surge quando a ação da pessoa precisar estar direcionada de acordo com determinado conceito ou imagem; e esta vontade surge do próprio condicionamento e inclinações. Não se trata de vontade livre no real sentido. Pode tornar-se em formas de autoasserção e teimosia egoístas. Com frequência trata-se apenas de insistência e obstinação cegas. Não é a vontade inata nos movimentos livres da vida. A energia que surge de qualquer forma de condicionamento é mecânica em sua ação e uma resultante de forças induzidas. Não é a energia da natureza espiritual, sempre original e incondicionada, agindo de forma total e não parcial, livre ou espontaneamente, e também inteligentemente, porque não atua de acordo com um padrão mecânico.

A virtude em ação – sem ação não há virtude – não erra nem por excesso ou defeito. É por isso que se tem falado de sua senda como o justo meio-termo. A natureza que é incorrupta sabe por instinto aquilo que é certo em ação e pensamento, e age de acordo, como um mestre em artes sabe como formar uma curva de beleza e o faz com um instinto certeiro. Ele sabe exatamente onde a linha deve ser colocada, quais os pontos que ela terá de atravessar. Na natureza pura incondicionada existe tal instinto, que se revela na maneira de sua ação, bem como na natureza dos resultados atingidos. A maneira é tão importante, e pode ser até mais importante do que o resultado concreto perceptível. Porque a maneira como a pessoa age transmite a maneira como sente; ela irradia uma determinada qualidade, como o tom e a inflexão da voz ao produzir uma música em compasso que deve permanecer sem falhas até o fim.

A energia da natureza incondicionada age livremente, e ao fazê-lo, cria um padrão ou forma que é sempre uma forma de harmonia, e podem existir inúmeras formas assim. Não age de acordo com algum padrão impositivo – não haverá liberdade em tal ação – mas a sua livre ação assume a forma que expressa a qualidade de harmonia inata naquela natureza que sempre age como um todo, jamais perdendo sua unidade. Todas essas formas que surgem da mesma base, isto é, daquela natureza unificada, deverão também estar em harmonia reciprocamente, assim como todas as leis da natureza harmonizam-se reciprocamente. Juntos constituiriam uma síntese perfeita que é a virtude em um sentido geral e abrangente, representando a harmonia total daquela natureza como um todo.

A forma que vem à existência modifica-se de momento em momento, quando a ação que cria a forma surge de uma base de sensibilidade e vida, e vida significa mudança a cada momento. Pode haver uma ação assim espontânea porque quando o terreno está livre, quando há uma qualidade de pureza ou inocência naquele solo, a semente divina presente em toda a parte da natureza – ela é realmente uma concentração de energias – floresce por si mesma. O que é divino é sempre belo; e as suas energias agem em conjunto e criam uma forma de beleza. Um conhecido hino hindu antigo fala da "semente una" que floresce em muitas formas diferentes. Ela é tão fértil, tão plena de potencialidade, que suas energias irrompem em ação por si mesmas quando o caminho está aberto para que assim o façam. Todas as virtudes emergentes de um mesmo solo puro de uma natureza incorrupta, constituem, em sua totalidade, uma forma de perfeição. É esta verdade que é transmitida na lenda do Cristo que nasceu da Virgem Maria, o Cristo sendo a personificação da graça e beleza divinas bem como da Sabedoria, e Maria representando aquela natureza imaculada, da qual a perfeição surge espontaneamente.

Quando há um instinto de beleza, tudo o que se faz acompanhando aquele instinto será belo. Da mesma maneira, pode haver um instinto de virtude ou retidão, e quando ele entra em ação, tudo o que se faz, pensa e sente, será reto e belo.

Quando a harmonia que é inata e latente na natureza incondicionada ou espiritual é manifestada em uma forma de beleza, podemos denominá-la a beleza da alma, e ela é mais bela do que qualquer beleza exotérica. Tem sido dito que todas as artes aspiram na direção da música. São uma aproximação à forma assumida pela música mais bela. Todas as obras de pintura, escultura e arquitetura precisam ser criações em um meio menos plástico do que o som, e a música sobressai-se porque nela há também mudança e movimento de um momento ao outro. A natureza que estamos discutindo também se modifica de momento em momento, e a mudança que está em um meio que representa o limite em plasticidade pode ser mais sutil do que qualquer coisa sutil que possa ser concebida por nossas mentes. É uma tal natureza de sensibilidade e de harmonia, isenta de qualquer elemento que possa impedir ou distorcer a sua ação, prestando-se às mais sutis modificações e nuances, que constitui a verdadeira individualidade da alma do homem. Toda a beleza que vemos ao nosso redor, nas coisas externas a nós, nada mais é do que reflexos imperfeitos da beleza que reside no interior. Aquela beleza interior, quando passa a manifestar-se, traduz-se em vida e ação, sempre cambiante, porém apresentando em cada mudança um aspecto daquela harmonia que constitui a sua base.

Uma distinção fundamental nas virtudes estaria entre aquelas que podem ser chamadas básicas ou espirituais, expressando a natureza essencial da alma, a qualidade nela presente, virtudes tais como humildade, inocência, pureza e amor, e outras, que são auxiliares ou representam efeitos secundários e prestam-se à razão como necessárias e práticas. Exemplos dessas últimas seriam a liberdade de indolência, perseverança, discrição e assim por diante. Estas em si mesmas são insuficientes. A perseverança é necessária, mas pode-se perseverar na direção errada. Pode-se não ser indolente, mas energético, e pode-se estar fazendo mais mal do que bem com sua energia. É preciso penetrar profundamente na natureza de todo bem e mal na forma que existe em nós. Deve haver uma compreensão, por exemplo, do que implica a indolência e o que ela faz conosco e com os outros; e quando houver essa compreensão, deixar-se-á de ser indolente, preso, amarrado, estático e inerte.

Quando um artista cria uma bela forma, ela sempre expressa determinada qualidade que parece permear aquela forma; ela evoca no observador um sentimento que possui aquela qualidade. Toda forma bela de comportamento exprime uma qualidade que está na natureza da alma. Aquela natureza consiste nessas qualidades. Mas uma forma copiada de um modelo não pode ter a beleza ou a graça que possuiu uma forma trazida à existência a partir de uma compreensão ou um sentimento interiores, enquanto criação espontânea. A natureza da alma possui uma beleza atemporal, que não é desta Terra. Todas as virtudes são manifestações daquela beleza. Em sua totalidade, elas constituem, por assim dizer, a flor da alma.

Aquela beleza manifesta-se quando a pessoa for verdadeiramente altruísta. Mas não é fácil extirpar o eu, porque mesmo quando não está presente como uma entidade ativa projetando sua presença, pode subconscientemente permear a natureza da pessoa, operando ali de maneira indireta. Mas quando tudo o que se conota pela palavra "eu" – ambição, exaltação, luxúria, engano e assim por diante – desaparece, então, como um céu límpido, a natureza da alma aflora com as suas belas qualidades. Mesmo se apenas uma dessas qualidades for realizada com perfeição, todas as demais a acompanharão, pois todas surgem do mesmo estado de ser sempre indivisível, e cada uma envolve as demais. É possível dizer que a humildade é a mãe de todas as virtudes ou que o amor, em seu sentido mais belo, constitui a virtude fundamental, ou que deve existir uma qualidade de inocência ou pureza na pessoa, como uma base primária. Mas não é necessário cultivá-las uma após a outra. Na realidade, elas não podem ser cultivadas no sentido de serem copiadas de um modelo. Pode-se compreender aquele estado de ser em que todas essas e outras virtudes estão presentes.

Por ser uma questão de compreensão pela própria pessoa, a virtude é algo que, em sua verdadeira qualidade, não pode ser ensinada. Pode-se aprender através da observação ou das palavras de outras pessoas, os caminhos ou as formas com que determinada virtude se manifesta. Porém a forma, embora possa sugerir o que significa para uma pessoa intuitiva, não pode criar o espírito ou o sentimento daquilo que é expressão. A virtude não é como o conhecimento comum, que pode ser transmitido através de palavras. Encontra-se na mesma categoria que o gosto, um sentimento para com o belo, além de outros dons inatos que não podem ser ensinados. Eles precisam ser aprendidos por outros meios. Quando houver amor no sentido real, criando um acordo solidário ou um estado de comunhão entre duas pessoas, digamos, entre uma mãe e o seu filho, aquilo que está no coração da mãe pode então ser transmitido para a criança.

Não sabemos o que o amor realmente significa. Conhecemos apenas o amor que se baseia no apego e na posse. Quando uma pessoa se enamora, especialmente se for amor à primeira vista, não construído através de reações acumuladas, o objeto de amor parece revestir-se de uma beleza divina. Infelizmente, essa condição esvaece, pois se mescla a outros sentimentos, mas ela indica o que é a real natureza do amor; é a luz que brilha de uma natureza dentro de nós próprios que ilumina a beleza oculta nas coisas. Toda a ação da natureza espiritual tem o encanto e o frescor da espontaneidade. A virtude tem esse encanto. É como uma flor sempre nova. A ação da natureza espiritual não é apenas integralmente voluntária; ela é também irrestrita. Ela se doa completamente. A beleza da virtude está em tal doação. Existe uma natureza muito profunda dentro de nós que se exterioriza apenas quando o terreno estiver desimpedido para ela. Aquela natureza permanece a mesma, e é atemporal em sua qualidade, mas é capaz de uma variedade de ação infinita. Todo modo e forma de sua ação constituem uma forma de beleza; quando se expressam na conduta da pessoa, também constituem uma forma de virtude.

5

PSIQUE E INTELECTO

Pode-se afirmar com veracidade que a mente humana tem estado ocupada, muito mais no passado do que atualmente, por superstições bem como por verdades de uma natureza transcendental. Pode parecer paradoxal que possa haver uma tal justaposição de ideias e imaginações falsas, que são as superstições e verdades de caráter profundo, sublime e extraordinário. Mas assim tem sido. A mente filosófica na Índia, enquanto distinta das inclinações das massas, permaneceu com as verdades que haviam sido proclamadas porque eram tão satisfatórias. Durante séculos, e até mesmo milênios, também as pessoas em geral estavam contentes em obter a sua inspiração de mitos e lendas, referindo-se àquelas verdades ou as incorporando de uma forma alegórica velada. O fato de terem assim procedido não pode ser integralmente explicado pela atribuição a uma tirania religiosa ou à força do conservadorismo cego, embora esses possam ter estado presentes. Indica-se que, quando a mente e o coração humanos encontram alguma verdade ou conceito que responda aos anseios da alma ou que a satisfaça profundamente, a tendência seria de ater-se a ela até que passe a ser um mero lugar-comum como o é na maioria dos casos através de uma familiaridade mecânica.

Somente quando aquilo que é chamado de verdade, ou seja, a nossa apreensão desta verdade, deixa de satisfazer, que há o início de uma busca mais além. Naturalmente também podemos permanecer com uma ideia ou crença falsas por um tempo muito longo, porém não para sempre. A desilusão inevitavelmente virá. Aquela condição ou natureza de uma pessoa que a predispõe para aquela ideia, como uma maneira de racionalizar ou satisfazer algum impulso pessoal oculto, inevitavelmente pedirá cada vez mais indulgência ou procurará outras coisas que prometem satisfação, porque um anseio profundo, pela sua própria natureza, é atendido apenas temporariamente, porém nunca é satisfeito, em caráter final, por aquilo que busca.

Nos dias atuais estamos tanto mais ativos mentalmente quanto exteriormente do que estivemos no passado, porém somos menos abertos e sensíveis à verdade que pertence aos aspectos mais sutis da vida. As primeiras raças, embora menos desenvolvidas mentalmente, ou apenas menos ativas, reagiam muito mais às influências da natureza e possuíam também mais de um instinto que guiava as suas atividades e propósitos. A mente, assim como o pensamento e o instinto ou a intuição, não combinam.

Foi dito que a mente é "a assassina do real" porque tem uma tendência, enquanto ainda se encontra sob a influência de forças que não controla ou compreende, de ficar pensando que está atendendo às suas inclinações, obliterando as próprias percepções. Suprime o real e projeta ideias que ocupam lugar do real. Reage de acordo com o seu condicionamento. Mesmo quando ela vê algo que efetivamente não está de acordo com as suas concepções prévias, atribui à sua visão um brilho ou uma interpretação, atendendo a seu estado de espírito ou condicionamento. É através dessas construções, das tortuosidades específicas que se desenvolvem, que ela suprime o real e perde a capacidade de distingui-lo.

Podemos considerar a mente, que é essencialmente um instrumento do pensamento, como autossuficiente para a descoberta da verdade. Porém, sem o auxílio da faculdade que percebe, ela pouco pode fazer. Ela tem conseguido fazer certas descobertas notáveis no campo da ciência na base das percepções através dos sentidos, auxiliados por instrumentos, mas quando se trata de emoções humanas, finalidades ou relacionamentos, a mente, longe de descobrir a verdade, quer descobrir ou confirmar apenas aqueles fatos que atenderão às suas predileções. A verdade, nos seus aspectos mais sutis e profundos, onde assume um significado dificilmente imaginado por nós, não é alcançada através do pensamento, mas se revela para a faculdade ou faculdades que melhor percebem ou apenas percebem quando a mente está tranquila. Infelizmente, a mente que está tão ativa no presente, de fato as elimina em sua maior parte pelas suas agitações e tensões, devido a uma variedade de causas. A mente tem sido comparada a uma espelho, porém ela nada pode refletir corretamente enquanto se encontrar em um estado fragmentado ou confuso.

A mente funciona na base da memória, mas até mesmo para depreender itens importantes dela, é preciso que esteja relativamente quieta. Você coloca uma chave, uma joia ou um objeto semelhante em algum lugar do qual não se lembra e a procura freneticamente em todos os lugares possíveis e impossíveis. Um determinado lugar está, de fato, fora do âmbito da sua procura; você simplesmente não poderia ter deixado o objeto ali. Mas a mente, na sua ansiedade, lança a seguinte ideia: "talvez eu tenha guardado o objeto naquele local." O impossível se lhe afigura possível quando ela se encontra naquela condição. Mas se você puder estar internamente quieto e relaxado por um momento, a memória do que você fez com aquele objeto com bastante frequência vem por si mesma à superfície. Esta deve ser a experiência de muitas pessoas e constitui uma indicação da verdade maior de que a mente precisa estar tranquila, relaxada em seu estado alerta – o que pode parecer uma contradição, mas realmente não o é – e não estar projetando, a fim de encontrar-se face a face com a verdade.

É mencionado em *The Mahatma Letters*, e em outros livros, que acabamos de passar, mas ainda não estamos muito além, do nadir do ciclo humano, o zênite sendo um estado puramente espiritual. A mente humana está quase que totalmente imersa, na atualidade, em coisas materiais, com todas as obstruções e pressões que elas criam. Pode ter havido épocas piores no passado, mas isso dificilmente representa um consolo para nós. Estamos naquele subciclo da evolução da mente, no qual aquilo que mais lhe interessa são os fatos, bem como as alegrias a serem encontradas no campo das coisas materiais. No mundo contemporâneo, a maioria das pessoas interessa-se nesse conhecimento das coisas na medida em que contribuirão para o seu próprio conforto e prazer, e nos mecanismos através dos quais os fatos com eles relacionados são descobertos e utilizados, e não naquelas coisas que exercem um apelo ao eu mais refinado, mais profundo, distanciado de qualquer finalidade material ou utilitária.

A mente precisa ter liberdade para chegar a descobertas de qualquer natureza, sejam aquelas que marcaram o progresso deste século, e os desenvolvimentos que conduziram até elas, ou descobertas que fazem parte da natureza mais profunda do homem. Enquanto a mente estava ocupada por determinadas ideias, por mais verdadeiras e importantes em si, ela não poderia penetrar no mundo para explorar. Isso pode constituir parcialmente a razão por que a era da investigação científica, bem como os movimentos físicos em todas as direções visando à exploração, andou em uníssono com o declínio do interesse pela verdade filosófica e religiosa. Quando há uma estrela maravilhosa no céu, brilhando e prendendo a nossa atenção, não se sente vontade de explorar o chão sob os próprios pés ou estudar outras estrelas imediatamente próximas. Apenas quando a atenção da pessoa está liberta de encantamentos de qualquer espécie, e quando precisa estar fisicamente ativa de alguma maneira, é que ela estará apta a iniciar uma busca para investigar as suas proximidades, visando descobrir o que as outras pessoas estão fazendo e dizendo. Isso não significa que a mente deveria afastar-se das profundas verdades que pode ter conhecido, mas a sua relação com aquelas verdades pode ser diferente daquilo que tem sido no caso do homem comum no passado. Nem a apreciação da verdade nem a intensa felicidade que preenche o ser, quando se encontra num estado de amor, podem ser prejudiciais à liberdade. O que surge no caminho da liberdade é apego, é sempre o apego a uma sensação, em qualquer nível que seja, que se considere como prazer a ser procurado ou mantido.

As primeiras raças, nos seus contatos com a natureza em meio à qual viveram a maior parte de suas vidas, responderam às suas influências e às mudanças dos fenômenos não de forma intelectual, não totalmente objetiva, porém de uma maneira diferente. É a natureza da sua resposta que deu origem às ideias que associaram com aqueles fenômenos. Se quisermos caracterizar que tipo de resposta era, incluindo muitas emoções e sentimentos diferentes, poderíamos chamá-la de resposta com a natureza psíquica muito mais do que intelectual. Não foi sempre o medo que os inspirou, como comumente se supõe. O questionamento, a excitação e as diferentes ideias poéticas expressas nos livros antigos prendiam as suas mentes numa medida que não compreendemos e, portanto, não estamos dispostos a dar-lhes espaço atualmente.

    A natureza do homem tem sido dividida em intelectual, espiritual e material, mas também podemos dividi-la em espiritual, psíquica e física, considerando o intelecto como operando em formas diferentes em todos esses níveis. Pode haver uma inteligência puramente espiritual, totalmente incondicionada; há a mente composta e movida por várias influências psíquicas; e há também o intelecto objetivo, como o de um cientista em relação às coisas da matéria. Pode também ser objetivo com relação a todas as outras coisas, porém, na maioria das vezes, não o é. As coisas da matéria, um muro de pedra, por exemplo, impõem-nos a sua objetividade. Não podemos mudá-los como mudamos nossas ideias e opiniões de acordo com a nossa conveniência ou desejos. É na relação com o mundo físico, inflexível, que se obtém o treinamento necessário em objetividade, ou seja, em ver as coisas como elas são. Podemos ter uma inclinação para sonhar, porém somos sempre despertos dos nossos sonhos, sejam diurnos ou noturnos, pelos fatos duros da vida. Quando forem duros em demasia, nada pode ser mais bem-vindo do que o esquecimento que vem com o sono. Distanciado deste mundo no sono, pode-se sonhar, e o sonho pode ser cheio de prazer. Mas é em estado desperto que desenvolvemos o espírito realístico de reconhecer fatos e atender demandas e obrigações das quais não podemos fugir segundo a nossa vontade e prazer, embora haja muitas pessoas que gostariam de fazê-lo, sonhando parcialmente, até mesmo quando estão acordadas.

O ser psíquico, ou para usar um termo que pode ser mais familiar para alguns, a entidade astromental, tem uma natureza que se presta a qualquer influência que a afeta, sendo muito mais negativa do que positiva. Ela também age, mas a sua ação tem uma qualidade semelhante ao sonho e é essencialmente mecânica. Ela ou age a partir de um instinto que desenvolveu ou reage às coisas externas de acordo com a sua natureza e sem qualquer iniciativa real vinda do seu interior. Possui impulsos interiores e desejos e procura uma forma de saciá-los. Há descrições de "elementais" nas primeiras obras de literatura teosófica que fornecem um *insight* na natureza da psique humana, uma natureza que torna possível, depois de separá-la do seu invólucro físico, transformá-la numa figura fantasmagórica, vivendo a sua vida mecanicamente, com a tendência e as ideias nela já ativas.

A vida é realmente rica quando se está aberto às influências da natureza, respondendo à natureza e à beleza de todas as coisas com que se depara, inclusive os sentimentos humanos. Mas pode-se estar aberto e mesmo assim não ser superado pelas influências a que estamos expostos, abertos sem prejudicar a própria liberdade ou integridade. Se tudo que acontece a uma pessoa, tudo que a impressiona, deixa uma marca permanente, então toda a natureza da pessoa será de tal modo modificada e coberta que praticamente nada permanece de sua condição original. Se aquela condição puder ser comparada com um fluido transparente em descanso, aquilo que for impresso ou absorvido lhe dará uma coloração ou deixará um depósito no fundo que o torna endurecido, opaco e escuro e não mais aberto à luz. A natureza psíquica, que age no seu automatismo como se fosse uma entidade por si mesma, pode transformar-se em uma figura sinistra, carregada de todas as influências que acumulou como uma pedra em movimento que reuniu muito do limo em degeneração.

A mente que ficou mesclada com as influências que são ativas na natureza psíquica, precisa sair dessa condição, o casulo ou teia na qual ficou aprisionado, e poderá fazer isso na medida em que ganha determinado grau de objetividade em relação à sua própria condição. É apenas quando a mente se liberta das sensações e emoções nas quais fica presa em um estado de não percepção, que ela reconquista o caráter de *Manas*, puro e simples. Somente então ela é verdadeiramente ela mesma e não algo diferente em que se tenha tomado. A pessoa que atingiu esta liberdade nela própria não deixa de ser humana, incapaz de emoções ou sentimentos. A natureza psíquica não é eliminada, porém transformada, de maneira que ela começa a vibrar com uma liberdade que não havia experimentado previamente, manifestando uma qualidade tão diferente de sua condição anterior quanto um céu límpido o é de um céu coberto de nuvens. Enquanto a mente se encontrar sob a oscilação de esperanças, desejos e sonhos, centralizados nela mesma, a sua atividade é como o movimento de um sonâmbulo. Pode ser que a mente de muitos animais, como uma ovelha ou búfalo, esteja numa condição que, ao julgar pela sua aparência e comportamento, é mais próxima da fronteira entre o estado acordado e o sonho do que um ser humano médio. Elas nos dão a impressão de não estarem em contato com o mundo externo, exceto de uma maneira muito parcial. Espera-se que sofram menos devido a esta condição.

Não podemos evitar ter sentimentos, tampouco as ideias com eles relacionadas. O homem é constituído de tal maneira que seria um ser truncado e sem vida senão as tivesse. O que está errado em sua vida é a fonte da qual elas surgem, a base das ilusões. Reside nele a capacidade de vivenciar os sentimentos mais belos, os desejos mais puros, intuições da verdade, todos surgindo daquela mesma base que denominamos natureza psíquica, porém em seu estado incorrupto, um estado em que se torna espiritual. A mente que foi anteriormente ativa em conjunção com ela, produzindo ilusões, transforma-se em uma inteligência pura e com ela se mescla em cada ponto, como a luz pode misturar-se com as cores. A consciência espiritual que então a permeia, ou encontra-se em um estado de comunhão, tem a qualidade em que há uma mescla de verdade ou realidade e beleza. A mente vê verdadeiramente mas também poeticamente, porque vê a verdade que está na alma das coisas, uma verdade que está bem além do alcance da mente limitada, tão orgulhosa que não tem as visões que outros dizem ter, e que não sofre, como pode pensar, das ilusões de que eles sofrem.

A natureza psíquica pode também refletir aquela verdade no seu próprio nível e nas suas próprias cores, mas apenas o faz quando passou pela transformação e purificação necessárias, quando deixou de projetar a partir de seu condicionamento particular. A música ilustra de uma maneira notável os diferentes aspectos, bem como os modos de sua ação. Pode haver música para atender a todos os instintos, inclinações e tendências no homem. A música é agradável, e por isso as pessoas a ouvem; mas nem toda música é realmente bela, a julgar pelos padrões aceitáveis por uma mente casta, austera ou espiritual. Existe a chamada música plena, especialmente na atualidade, que corresponde aos gostos populares em outros assuntos e inclinações.

A esfera psíquica é por excelência a esfera de *māyā*. H. P. Blavatsky chama-a a Sala da Ilusão, ligada à Sala da Ignorância (ou Ausência de Percepção), mas a forma ou modo de existência de que é uma expressão objetivada tem o seu valor e lugar na constituição total do homem. É uma Sala de ilusão porque na presente condição da humanidade, ela está repleta, em sua maior parte, de criações das imaginações extravagantes e febris do homem. Mas quando a necessária mudança nele se realizar, será um mundo diferente, em todos os sentidos, que ele criará para si mesmo.

Deve haver um intelecto que vê as coisas em uma luz clara e precisa, vendo-as objetivamente, e podendo raciocinar com exatidão matemática, embora a mente agora ativa veja apenas a aparência das coisas; também deve haver esta outra natureza que pode responder à natureza da vida em seu interior, vivenciar a sua beleza, vibrar em uníssono com cada cumprimento de onda, estar aberta às mudanças mais sutis em sua expressão. Os diferentes modos de compreensão que estão incluídos no ser total do homem são bem ilustrados nos tipos de atividade que ele persegue. O poeta ou o vidente está ativo com faculdades muito diferentes daquelas de um cientista, historiador ou lógico. A organização dos fatos, agrupando-os de uma maneira que cria ordem do caos, atribuindo-lhes de fato um significado que do contrário pareceria inexistente, é um trabalho muito diferente do que de um artista que é guiado pelo seu senso inato de harmonia. Pode parecer que o poeta está apenas interpretando as suas próprias sensações e sentimentos nos objetos de natureza exterior. Pode ser assim, mas pode também ocorrer que os sentimentos sejam nele inspirados pelos próprios objetos, quando ele passa a ser um canal para os sentimentos e pensamentos evocados pela sua verdade inerente, uma verdade não percebida por outros menos abertos e sensíveis. Grande parcela da poesia dos poetas verdadeiramente exponenciais, como Shakespeare e Goethe, tem uma qualidade que toca os corações de tantas pessoas porque expressa aspectos da verdade interior da vida e dos acontecimentos, uma verdade que nos toca a todos, estejamos ou não conscientes dela.

Exceto na ciência e tecnologia, onde os fatos relativos à natureza das coisas não podem ser ignorados, a humanidade como um todo ainda é dominada por influências que pertencem à sua condição psíquica, influências, na maioria das vezes, de variedade mais grosseira. Estas influências são vistas em inúmeras formas de atividade proeminentes atualmente em todo o mundo: guerras, facções, explosões de violência, preocupação excessiva com o sexo, nacionalismo febril, a causa de tanta agitação e luta e também os tipos curiosos e grotescos da assim chamada expressão da arte. A virada no sentido da espiritualidade que deveria suceder à passagem pelo ponto mais baixo, dificilmente é visível, exceto em pequenos sinais aqui e acolá que são como ínfimos feixes de luz em um céu normalmente cinzento ou escuro, e que anunciam um novo dia.

Deve haver alguns que são os arautos de uma nova era que testemunharão uma nova cultura, diferente da atual. Foi com esta esperança que o movimento teosófico veio à existência. Quando as pessoas dizem: "sabemos tudo sobre Fraternidade, existem tantas organizações que a pregam, então o que há de especial no caráter da Sociedade Teosófica?" E essas pessoas não conseguem perceber o propósito amplo para o qual existe a Sociedade. Existem muitos membros que também não o veem. Todo o objetivo da Sociedade é de realizar uma mudança fundamental na vida e na visão do homem. A natureza desta mudança precisa ser compreendida por nós e transmitida para o mundo como um todo. Todos os objetivos da Sociedade, e o seu nome especificamente, apontam na direção desta mudança. Algumas pessoas pensam que a Sociedade teria grande êxito se apenas os seus membros pudessem ser contados em milhões ao invés de apenas milhares. Talvez externamente, porém não na realidade. Em todos nós precisa haver a aurora de um novo sentido, uma nova percepção, sem a qual não é possível transformar a Fraternidade em uma realidade ou encontrar a senda que conduz ao objetivo mais almejável para todos nós, seja sob o nome de paz, felicidade, verdade ou qualquer outro.

6

A NATUREZA EXTRAORDINÁRIA DA VIDA

A vida como nós a vemos em cada criatura viva apresenta um aspecto que pode ser considerado comum ou até banal, porque com ele estamos tão familiarizados. Mas também tem um aspecto que, mesmo integrando-se às nossas percepções limitadas, bem poderia despertar nosso questionamento e ser verdadeiramente considerado extraordinário. Em que reside esta distinção entre o comum e o extraordinário? Talvez possamos indicar da melhor maneira a natureza deste último aspecto, bem como colocá-lo em uma base bem definida, usando o termo "Espírito", embora esta seja uma palavra usada de modo impreciso e com conotações vagas. O que é Espírito?

Na obra *Mahatma Letters* diz-se de forma muito definida que o Espírito é a vida indivisa. Se assim for, então aquilo que é chamado Espírito não é uma abstração, porém uma realidade, cuja natureza pode ser vivenciada dentro da própria pessoa. A relação entre Matéria e Espírito, que é expressa naquela mesma obra como sendo apenas dois lados da mesma coisa, ou seja, o Elemento ou Substância una da qual tudo o mais no universo é derivado, é uma relação de vida e contém em si mesma todas as qualidades que a vida pode exibir. A vida é uma energia que se polariza em Espírito e Matéria. A matéria nós percebemos, mas a natureza do espírito é compreendida e vivenciada apenas em nossa consciência.

Poder-se-ia dizer que em todo o universo manifestado a vida é a coisa primária única, uma energia que está em toda a parte e latente ou ativa em graus variados. Em um polo, esta energia manifesta uma natureza de unidade e assim ela representa a Vida indivisa; no outro polo, há divisão e diversidade, e a vida se manifesta como uma diversidade de processos. Em seu aspecto objetivo, seja a planta, o animal ou o corpo humano, ela constitui uma síntese de forças, e é por isso que os cientistas falam em sintetizar a vida, porém na sua natureza subjetiva profunda, ela constitui uma unidade absoluta, e a sua natureza pode ser apenas conhecida através da experiência direta.

Em cada forma viva, em cada organismo individual, existe uma unidade e existe uma diversidade. Isso é reconhecido pelos cientistas, mas as suas observações são no nível da diversidade, dos diferentes processos químicos e biológicos; são apenas esses que podem ser observados. Geralmente eles pensam que a unidade é criada pela diversidade; que a reunião das partes, que desenvolvem várias reações entre eles, cria determinada unidade ou integralidade. Mas como a consciência, que possui uma natureza tão diferente, surge de um padrão material?

A reunião das partes realiza-se de acordo com um padrão específico em cada caso, sendo mantida e reproduzida com várias modificações. Será algo relacionado à química, à geração espontânea, não no sentido da vida "originando-se do barro", mas da junção acidental de determinados elementos e da sobrevivência do mais forte para um ambiente específico, o que é chamado então de seleção natural? Ou será que a vida tem uma natureza que muito transcende àquilo que é visto no nível biológico, com uma inteligência inerente à sua natureza que organiza e usa o material disponível, e, ao assim proceder, manifesta apenas um fragmento de sua potencialidade? Essa é a visão antiga e oculta, oculta porque não podemos observar com sentidos físicos a ação da natureza que lhe é atribuída.

Se Espírito e Matéria são os dois polos, uma visão atribui vida, com toda a sua potencialidade, àquilo que chamamos de Espírito, e a outra visão baseia-se completamente na atividade que se vê realizar-se no campo da matéria. Entre os antigos, aqueles que reivindicavam falar com a autoridade de quem possui conhecimento direto encaravam a vida como uma efusão divina – e os seus enunciados eram aceitos por muitos, até mesmo por aqueles que mais pesquisavam todas as hipóteses possíveis. Isto é, a vida descende de grandes alturas ou brota de grandes profundidades – duas maneiras de dizer a mesma coisa. A altura ou a profundidade está compreendida na relação entre Espírito e Matéria, a distância entre Espírito e Matéria, a distância entre os dois polos eternos, que não é espacial, porém representa uma extensão enorme em graduações de expressão, ação e qualidade. A Matéria, que é capaz de divisão, diferenciação e combinações, evidentemente fornece a forma, enquanto que o Espírito, que é a vida indivisa, possui qualidades que confere à energia atuante através da forma e que, por sua vez, expressa, em cada caso, aquele aspecto de sua natureza que pode transparecer através da forma. Podemos assim ver que vastas perspectivas de possibilidades abrem-se a partir desta visão.

Todas as qualidades incluídas na profundidade podem manifestar-se na consciência desenvolvida. Elas pertencem àquela consciência, ou mais categoricamente, à consciência como está manifestada no homem. Quando examinamos com bastante cuidado a natureza da vida, podemos ver que ela não é separada da consciência. Viver é estar consciente em algum grau. No nível puramente físico representa uma perceptibilidade; você sente o picar de uma agulha, ou um formigamento. Mas existem tantos outros níveis cuja natureza se expressa na ação que se realiza no campo de nossa própria consciência, não apenas o pensamento e todas as qualidades, que podem caracterizá-lo, mas também a imaginação, a resposta ao belo, ao amor, o sentimento de liberdade absoluta e a experiência de um estado absoluto na própria existência. Tudo isso surge da vida, fazendo parte da sua natureza e ação.

Atribuir tudo isso a combinações moleculares, por mais que a vida aparente delas surgir, é uma explicação que não pode ser chamada de razoável ou convincente.

O cientista estuda e especula, na medida em que de fato o faz, sobre a vida em seu aspecto comum, sobre a natureza do invólucro material que ostenta, e não sobre o seu aspecto extraordinário que não pode ser medido por régua e bússola ou pelos instrumentos os mais sofisticados que ele tenha inventado. A vida, enquanto restrita por uma organização material, a natureza que ali exibe, é de uma forma; mas, a vida fora dos limites daquela organização, aquilo que ela pode manifestar da sua natureza fora das limitações a que possa estar sujeita, pode ser algo bem diferente. Aquilo que é extraordinário é deixado completamente de fora quando se restringe a atenção àquilo que pode ser observado na matéria. Não se pode conhecer então a outra dimensão que é contida em Espírito, uma palavra com significados desconhecidos que pode apenas ser compreendida através da autoexperiência. Até mesmo no nível físico há vários processos para os quais não há uma explicação adequada. Como as partes ajustam-se em um todo cada vez mais significativo, com um desígnio específico que varia de uma família, ou ordem, para outra, e o que mantém a unidade deste desígnio ao reproduzir-se e modificar-se sempre com adaptações da mais complexa e engenhosa natureza, tudo isso constitui um mistério. É difícil imaginar que um resultado assim inteligente possa advir de um processo de mero ajuste sem um padrão prévio no qual as partes são atraídas.

A teosofia em seu aspecto central constitui essencialmente a ciência da vida, sua natureza, potencialidade e ação. Ela também foi chamada de ciência do Eu. Mas quando o eu no sentido comum desaparece, então há a vida surgindo em seu lugar, em todo o seu caráter extraordinário, sua beleza, sua profundidade, sua inteligência, e todas as demais características de sua natureza e poder. Podemos usar a palavra "Espírito" quando nos referimos a tudo isso. Assim Espírito é vida em sua fonte, onde existe em sua pureza, sua plenitude, seu pleno potencial e grandeza, e não como se configura em qualquer forma condicionada. Talvez possamos então chamá-lo de elixir da vida.

Há alguns anos, o Sr. John Eccles, o famoso pesquisador e professor de fisiologia, particularmente do cérebro, realizou uma série de palestras, que foram transmitidas em toda a Austrália, durante as quais ele disse:

"Com demasiada frequência declara-se que o homem nada é senão um animal inteligente que pode ser totalmente explicado materialmente. E ainda se diz com frequência que o homem nada é senão uma máquina extremamente complexa, e que os computadores em breve serão seus rivais para a conquista da supremacia da máquina mais complexa que existe, e que terão desempenhos que ultrapassarão o homem em tudo o que há de importante.

Eu desejo desacreditar essas declarações dogmáticas e fazer com que os senhores compreendam como é tremendo o mistério da existência de cada um de nós... minha abordagem da experiência consciente é, em primeiro lugar, baseada na minha experiência direta de minha própria consciência. Acredito que esta seja a única forma válida de falar aos senhores...

"A única forma válida" de que fala o Sr. John pode ser considerada como especulativa, não estando aberta à demonstração, mas é o caminho para o conhecimento direto e incontestável. Em outro lugar, ele diz: "Nós, isto é, os cientistas, não podemos dizer-lhes como os padrões percebidos na rede neurônica chegaram a dar origem à consciência".

Mas os antigos resolveram essa dificuldade.

Quando a vida, no seu aspecto de consciência, revela-se em um ser humano, o amor aparece e se manifesta, e da mesma maneira que a vida tem um aspecto que é comum e outro que é incomum, o amor também tem dois aspectos similares. O amor comum é do tipo que mais encontramos no mundo, e é em grande parte uma questão de gosto, alegria e posse. Mas há também amor que é extraordinário. A diferença realmente está entre qualidades que são baseadas na matéria e aquelas que são puramente espirituais.

Aquele princípio no homem que é chamado de *Manas*, grosseiramente traduzido por mente, pode ser baseado tanto na matéria quanto no espírito. Imaginemos um cone, cuja base está na terra, e o vértice acima da base está conectado a cada ponto da base. Isso poderia simbolizar a relação entre *Manas* e as coisas específicas no campo da matéria, com as quais está relacionado e para as quais sua atenção está voltada, nas quais desenvolve seu interesse. Todas as linhas que ligam o vértice com os inumeráveis pontos na base representariam as reações da mente, os seus apegos e temores. Mas podemos imaginar o prolongamento deste cone, fazendo um outro cone com o seu vértice no mesmo ponto e a base em algum lugar acima. O outro cone que se abre para o espaço representaria *Manas* que se desdobra para o mundo do Espírito, ou seja, o mundo de verdade e de beleza, um desdobramento que pode realizar-se apenas quando a mente estiver livre das modificações a que se presta no cone inferior baseado em matéria.

Manas, sendo o princípio central no homem, não o mais alto, mas aquilo que realmente torna o homem pensador, pode afiliar-se com o ponto mais alto em sua constituição ou com o mais baixo. A Dra. Annie Besant descreveu o homem como uma entidade que reúne em si o Espírito mais elevado com a matéria mais inferior. As palavras "mais inferior" não significam, neste contexto, algo desprezível, vil ou mau, mas sim que nas graduações que separam o Espírito da matéria estamos nos referindo ao grau mais inferior de matéria, da mesma maneira que o ponto mais alto refere-se à qualidade mais elevada em Espírito. É possível viver em condições de matéria, como todos nós fazemos, sem nos tornarmos sujeitos a suas pressões e influências insidiosas, sem nos submetermos a um processo de materialização ou degradação em nós mesmos. Por isso não precisamos concluir que a matéria é necessariamente má ou grosseira em qualquer sentido depreciativo.

Determinadas qualidades e faculdades passam a atuar apenas em um mundo de distinções. No mundo da natureza física, cada coisa é distinta e diferente das demais de uma ou outra maneira, e mantém a sua diferença com uma medida de estabilidade. Existem tantas nuanças e colorações e a capacidade de percebê-las é desenvolvida apenas dando-se-lhes atenção. Do mesmo modo, há diferenças em tons e formas, movimentos, ideias e qualidades. O artista nota algumas delas, mas nós não. Também na esfera da mente pode haver movimentos extraordinariamente sutis, cada qual com sua qualidade, como uma nota musical distinta das demais, distinções entre uma e outra ideia e nuanças distintas em sentimentos e emoções. Tais processos mentais, como raciocínio, julgamento, rapidez de pensamento, são evocados ao lidarmos com distinções. Estas qualidades, incluindo a capacidade de agir com precisão, prontidão e habilidade, surgem da relação entre mente e matéria.

A natureza de *Manas*, que é um aspecto da consciência ou um modo de sua ação, consiste em ver o pormenor, a parte. Ela observa as diferenças entre uma coisa e outra nas suas propriedades, movimentos, ação, relações e assim por diante. O cientista realiza isso de maneira notável. Mas quando ele deseja compreender a natureza de algo que é um todo, ele o julga a partir do que conhece das partes.

É um aspecto diferente da consciência que abarca o todo de uma vez e vivencia a natureza da unidade que aquele todo corporifica. O todo, se não é um mero aglomerado, possui uma qualidade, uma beleza que não estão nas suas partes. Um edifício nobre, como o Taj Mahal, ou uma bela catedral, possui uma dignidade, um caráter próprio que as partes, embora belas em si mesmas, não manifestam separadamente. Este outro aspecto da consciência, que é espiritual e que poderíamos chamar de *Buddhi*, sempre funciona em termos de um todo perfeito e em suas criações exprime a natureza ou a beleza do Espírito.

Se identificamos espírito com consciência em sua pureza, podemos ver como ele *pode* agir em uma maneira infinita de formas. Se for feita a declaração "a beleza do Espírito é infinita", talvez muitos a aceitarão porque representa um pensamento que foi expresso com bastante frequência. Mas de que maneira poderá ser infinito, e como se manifesta a sua beleza? Apenas quando compreendemos a natureza da consciência, quando vemos como, a partir de sua substância e movimentos, podem surgir formas belas uma após a outra, é que o seu poder de criação pode ser infinito. Tal ação realiza-se com facilidade e sem esforço quando nela não houver nenhuma partícula de impedimento; então ela poderá sempre trazer à vista uma criação de beleza única. A sua ação é muito semelhante ao florescer de uma planta na natureza física. Podemos chamá-la de ação do Espírito ou da Consciência. É o florescer de dentro, com uma nova beleza, que constitui o lado extraordinário da vida, do seu aspecto espiritual ou divino, que é muito mais realidade, ou próximo da realidade, do que a ação no campo da matéria.

Até no nível da matéria a vida sempre assume uma forma individual. Ela não é meramente uma quantidade de energia em um reservatório. No corpo material vivo, existe uma coordenação perfeita de partes e de processos, e o corpo manifesta em seu nível determinada unidade que corresponde à individualidade da vida ali inerente. Assim, há um reflexo, no caráter e nos processos da vida na matéria, de uma unidade inata que é a unidade do Espírito. Mas a unidade que é espiritual não é uma unidade morta ou de natureza mecânica, e sim a unidade de um estado absoluto como aquele que é vivenciado em uma condição de consciência intensificada, no amor ou em uma resposta total ao belo. Cada estado desta natureza tem uma qualidade exclusivamente sua, como a unidade de uma qualidade que permeia e satura uma criação artística, ou a unidade em uma expressão de maravilhamento na face de uma pessoa.

De acordo com o ensinamento oculto, em cada ponto no espaço há matéria e em cada ponto há também Espírito. Uma partícula de poeira é matéria, mas ali também há Espírito. Eles coexistem, ambos são eternos, unos e autoexistentes, mas em cada ponto o significado, a beleza, a maravilha que é manifestada pertence ao Espírito. É o *Logos*, na antiga acepção grega, presente em cada ponto no fluxo da vida, que dá a direção naquele ponto para o processo evolutivo subsequente. A matéria existe como meio de expressão.

Atualmente se formula com frequência a questão: "Qual é o significado da vida?" Nesta pergunta a palavra "vida" é usada em um sentido altamente generalizado, incluindo todos os incidentes que afetam a vida interior. A palavra "significado" é difícil de ser traduzida. O que *significa* uma flor para nós, ou será que ela nada significa? Quando houver uma resposta extremamente vital oriunda do coração de alguém para uma flor ou para o movimento de uma nuvem, ou para uma personalidade humana, ou ainda para alguma ação de parte de outrem, como este fenômeno nos afeta, o seu impacto sobre nós é o significado sentido e vivenciado. Se sentimos sua beleza, o seu encanto, e se estivermos realmente por ele fascinados, então a coisa estará cheia de significado num grau extraordinário. Este é o ápice de significado que uma coisa pode possuir. Basta você olhar para ela e ela transmite sua beleza para você e isso é perfeitamente suficiente, ela não precisa realizar nada além disso. O fato que isso existe e que você o sabe é suficiente. O "significado", então, reside na natureza inata de um fenômeno ou objeto. Não é algo a ser construído pela mente. Cada fenômeno, cada pessoa e coisa têm uma qualidade que confere à mente que está realmente aberta. Cada pintura ou quadro, se for uma verdadeira obra de arte, possui uma beleza que irradia. O artista reconhece isso como fato, embora possa haver pessoas que pensem que o quadro é meramente uma mistura de cores. Quando falamos da verdade com relação a algo objetivo, aquela verdade abrange tudo o que pertence à sua forma, as suas substâncias e propriedades, bem como seu significado, para uma mente e um coração receptivos, abrange a qualidade que a permeia, quando é uma forma perfeita.

No processo da evolução, que é um processo universal, há uma sucessão de formas. Há também uma manifestação ou liberação de significado. Uma qualidade mais alta, uma inteligência superior, uma beleza que não estava presente antes, aparece no mapa da existência. A essência de uma forma que é perfeita e plena de significado, isto é, se ela estiver realmente desenvolvida, reside naquilo que ela exprime, e essa essência pertence à vida, ao Espírito – em matéria. A natureza do Espírito deve ser percebida no significado que a coisa viva torna manifesto. Se em toda parte há vida latente ou ativa, tudo que podemos ver ou tocar deve ter a sua qualidade de vida, por mais débil que seja. Um cão fareja aquilo que nós não conseguimos, e instrumentos registram variações magnéticas que afetam nossos corpos, mas das quais somos totalmente inconscientes. De modo semelhante, pode haver radiações presentes, presenças sutis, para as quais não somos sensíveis. A forma está sempre designada a ser uma expressão de vida. Há esta expressão quando ela corporifica um padrão específico na qual a expressão pode estar baseada. No decorrer da evolução, na medida em que o padrão é elaborado, a expressão torna-se mais definida, mais modulada, carregada de nuanças. Há uma infinidade de significado, de amor, de beleza em Espírito, e a natureza em que esta infinidade está reservada pode ser conhecida no coração de alguém quando este for suficientemente puro e humilde para conhecê-la.

7

ATENÇÃO, INTERESSE E AMOR

Quanto mais se observa a natureza humana em seus diferentes aspectos, as mudanças por que passa, e os seus diferentes modos de agir, mais se compreende que a transformação mais maravilhosa que pode vir para uma pessoa apenas poderá concretizar-se através do amor, mas terá que ser um amor em que não há elemento de posse ou de busca por si mesmo. Se tal amor estiver presente, todas as outras virtudes e graças ou virão ou provar-se-ão nele incluídas; e este amor regenera as pessoas desde as raízes do ser, como nenhuma outra força pode fazê-lo. A questão importante que então se apresenta é – mais importante do que possa inicialmente configurar-se, especialmente quando a palavra "amor" é usada de forma aleatória e em sentidos diferentes – : O que é o amor em sua verdadeira natureza, distinto de qualquer imagem à qual o termo possa ser aplicado; e também, como se chega até ele, se ele não existir dentro da pessoa? O amor não é um mero gostar. O que o amor é, em verdade, não "pode ser decidido através do pensamento, através do raciocínio baseado em quaisquer premissas conhecidas; e, se aquilo que imaginamos ser o amor existe por determinada razão ou em consequência de algum motivo presente em nossas mentes, então, não se trata do verdadeiro amor, que terá de surgir livremente, por si mesmo, não estando suscetível a qualquer processo de coerção ou de indução, empregado pela própria pessoa ou por outros.

Quando uma pessoa está amando, ela tem um interesse profundo e intenso no objeto de seu amor. Portanto, será que pode ser argumentado que onde há interesse haverá amor? O interesse poderá surgir a partir de vários motivos. Pode significar a busca de proveito, poder ou prazer, quando estaria funcionando de maneira contrária ao amor, e estes motivos podem sutilmente funcionar desapercebidos. Mas, se for interesse sem qualquer motivação do eu, sem apego ao prazer através dele experimentado, então estes interesse e amor puros naturalmente coexistiriam e, mais do que isso, tornar-se-iam unidos e misturar-se-iam.

Quando não for percebido interesse algum, seja em um objeto, uma atividade ou uma pessoa, forçar-se a estar interessado será vão. Um menino que é forçado a ler alguma coisa que não lhe interessa, poderá tentar fazê-lo sem vontade em virtude da pressão ou do medo, mas o seu interesse residiria apenas na ansiedade de ultrapassar os mais velhos ou de estar com eles, e não de fato naquilo que deve ler ou aprender. Novamente há a questão de como o interesse em uma atividade ou em um objeto pode ser desperto, percebido pelo que em si significa sem nenhum objetivo ulterior; um interesse genuíno, espontâneo e puro.

É óbvio que, ou por estar interessado ou por amor, primeiramente terá de existir a base de um contato psicológico, não vago e superficial, porém direto e íntimo, capaz, por assim dizer, de acender uma centelha. Este contato terá de ter uma realidade e uma eficácia que não desviem nem passem ao largo do objeto da atenção, ele deve penetrar em sua natureza e tornar possível uma resposta profunda em relação ao objeto. A atenção que é dada terá de ser suficientemente pronunciada em seu impulso, e terá de surgir de uma natureza de sensibilidade na área do próprio ser – quando não é a totalidade dele – envolvido naquele ato. Sem atenção, não estamos alertas àquilo que se realiza, e não percebemos nem mesmo o que está diante de nós.

Quando houver atenção, ela poderá abranger o todo do objeto, compreendendo todas as suas partes, ou poderá concentrar-se em alguma parte ou ponto do objeto. Dar atenção significa estar consciente da presença, e conhecer a natureza da coisa que é o objeto, na medida em que a sua natureza pode ser conhecida por percepção direta e não através da razão ou da inferência. Tal percepção é da própria natureza da consciência. Se uma consciência individual é concebida como capaz de existir separada do cérebro físico e dos órgãos sensoriais, a natureza de sua ação dependeria do grau do seu desenvolvimento, de sua sensibilidade, percepção do belo e outras qualidades, sendo esta consciência muito similar a uma lente que pode variar bastante em sua potência. Mas seja qual for a sua capacidade, não há necessidade de um esforço especial para expressar a própria natureza. Esforço, tensão e cansaço existem apenas para o meio material. Quando aquela consciência estiver plenamente desperta e atuar com a sua capacidade inerente, haverá atenção plena ou total, e esta atenção, por sua vez, pode revelar muitos fatos com relação a todas as coisas que a rodeiam, não percebidas anteriormente, bem como profundezas ocultas nela mesma. Nesta atenção ou ação não há divisão da consciência em duas seções, uma sendo a própria ação, e a outra, subjacente àquela ação, um eu formado por experiência prévia, dirigindo, impulsionando ou inibindo, conforme possa atender às suas finalidades.

Atenção, interesse e amor são todas palavras-chave que significam uma grande abrangência de ações que existem no momento que denominamos o *presente*, e revela maravilhosos novos significados que existem até mesmo nas coisas que parecem lugares-comuns; elas constituem, em diferentes graus, uma luz que emana da natureza da consciência. Dar atenção significa lançar os raios desta luz. Esta luz poderá na maioria das vezes recair sobre a superfície e ser refletida a partir dela. Mesmo assim, ela revela a natureza daquela superfície, isto é, o aspecto externo das coisas. Mas podem existir outros raios mais penetrantes. Quando há amor, ele ilumina a natureza interna do objeto de amor, revelando a amabilidade nela oculta, à semelhança da bela estátua dentro do bloco de mármore que o escultor, se for um gênio, percebe antes de libertar. Porém, o poder de ver esta beleza e a ela responder manifesta-se apenas na medida em que a própria consciência libera-se das ingerências de um eu que muda o seu caráter, porque este eu se configura como um centro que puxa ou empurra vários pontos ao seu redor, afastando-os ou aproximando-os de si, e distorce as atividades daquela consciência durante o período em que não está desperta. Ou, para usarmos um outro símile igualmente aplicável, a consciência individual terá que desprender-se completamente do sedimento acumulado de experiências passadas as quais, carregadas em suas águas límpidas, que do contrário estariam livres e fluidas, mudam sua qualidade e natureza, impedindo seu fluxo e impondo-lhes as suas próprias reações e propriedades que, em linguagem simples, são a ambição, a inveja e assim por diante.

A vida, energia ímpar, quando não estiver oprimida ou degradada de alguma maneira, expressa a sua natureza verdadeira e mais profunda com espontaneidade absoluta. Isso é experimentado no campo da consciência humana enquanto ação, a cada momento vinculada ao momento precedente não através de uma continuidade ou automatismo mecânico inexpressivo, porém através de percepção, inteligência e razão renovadas. Tal espontaneidade, manifestando estas qualidades, apenas pode surgir de uma condição na qual a consciência individual não está afetada por nenhum impedimento interno, ou seja, nada contém em si que possa classificar ou obstruir a sua livre ação. Nisso nada deve haver que modifique a sua ação ou decisão, exceto uma inteligência pura ou qualquer sentido inato como um sentido de harmonia que possa existir na natureza intrínseca da vida e da consciência, as quais são de fato dois aspectos de uma mesma realidade. É uma condição puramente negativa e pode coexistir com um estado de alerta pronto para a ação. Sejam quais forem as formas positivas de ação que dela possam surgir, surgirão espontaneamente, em harmonia ou unidade completa com aquela base negativa, não restringindo a sua liberdade ou modificando o seu todo e condição não fragmentada.

Acuidade de percepção, que podemos chamar de *insight*, qualidade de alegria em ação e resposta ao belo são todas qualidades que existem na natureza básica da consciência e podem ser manifestadas juntamente com o amor e o interesse no simples processo inconsciente, surgindo naturalmente, dando atenção sem nenhuma mancha de um desígnio ulterior.

A ação que se realiza – sem qualquer "autoconsciência" – pode consistir em modos de cognição como ouvir ou observar; ou pode tomar a forma de pensamento e de atos abertos em relação ao mundo exterior. Esses modos de ação tornam-se tão mais claramente definidos e trazem à luz as harmonias que se encontram na base do próprio ser e da própria vida em geral quando surgem de uma condição de pura negatividade. Esta negatividade é, na realidade, humildade e altruísmo. É condição em que pode haver uma doação completa de si, isto é, de tudo que está na natureza pura do ser, ou consciência em sua pureza, e é esta doação que é vivenciada como devoção, como amor, e outras emoções difíceis de denominar por causa de sua sutil natureza espiritual, porém tudo sem o menor toque de busca por si mesmo. Este espírito de doação se reflete então, também, nas relações e atos externos das pessoas. Nessa negatividade existem profundezas de paz e de silêncio, plenas de um sentido de unidade e de outros entendimentos que constituem a verdade em um sentido vital.

 Muitos instrutores religiosos e éticos enfatizaram a importância da dedicação sincera, bem como da ponderação, até mesmo na realização de atos comuns como os que são necessários para fazer girar a roda da vida, ou atos que surgem de um espírito desinteressado e altruísta. Por exemplo, na obra *Aos Pés do Mestre* há o ensinamento de que tudo que se fizer deve ser feito da melhor forma possível. Isso requer inicialmente a energia do prestar atenção, que surge facilmente com o amor ou interesse e, em segundo lugar, a percepção de todos os pontos que precisam ser mantidos em mente, de forma consciente ou subconsciente, ao realizarmos aquele trabalho.

Se é uma questão de escrever, envolve a construção da frase, a sua relevância em relação ao tema principal, a verdade daquilo que é dito, a adequabilidade e as implicações das palavras usadas e assim por diante. Até um pequeno trecho manuscrito pode apresentar características que demonstram traços psicológicos ou a condição da mente com que foi produzido. Para que o trabalho seja perfeito em todos os seus aspectos, por menor que possa ser em comparação a outros, precisa ser bem feito. Se um pintor começa a retratar um belo sorriso, expressando felicidade pura, serenidade ou alguma outra qualidade, qualquer pequeno toque com o lápis ou com o pincel terá que ser realizado com o maior dos cuidados. Uma sombra a mais ou a menos poderá representar uma grande diferença. Na música, algumas notas podem ser tocadas mais suavemente do que outras; nem por isso elas podem ser consideradas como menos importantes. Nem uma única nota ou intervalo de tempo pode estar faltando. Um intervalo excessivamente curto pode ter um efeito tão expressivo quanto uma pausa longa que serve como um período de suspense a ser aliviado pela nota que segue.

Não existe nada grande ou pequeno, seja em relação ao próprio treinamento da pessoa, à entidade subjetiva, ao conhecedor e ao realizador, ou nas obras da natureza. Aquilo que chamamos infinitesimal ou vasto, apenas o é na escala das nossas percepções e capacidades limitadas. Por um lado, as percepções do conhecedor devem estar despertas e, por outro lado, precisamos fazer um autotreinamento no uso dos meios de ação, sejam estes os nossos membros e órgãos sensoriais ou algo que precisamos aprender a manejar ou usar, de acordo com uma determinada técnica. Para ambas essas finalidades a atenção é necessária. Porém, atrás de cada ato de atenção, há a própria pessoa, e a própria pessoa significa a própria condição, aquilo que nos tornamos no decorrer dos anos. É esta condição, separada das limitações do instrumento físico, que limita a capacidade para a atenção e outras possibilidades de ação, de parte da consciência individual. Quando não há motivação egoística de ganho ou de prazer, então haverá na atenção prestada uma qualidade de liberdade e também um caminho aberto para a manifestação de outras características da natureza pura da consciência. Quando o eu não participa, tampouco haverá vaidade. O que é então feito, o é apenas pelo que significa em si mesmo, seu valor, beleza ou retidão intrínsecos. Tal ação liberta a pessoa de suas preocupações, das pressões internas sob as quais sofre a maior parte do tempo na vida normal, viabilizando, assim, a vida fluir livremente e revelar sua própria natureza enquanto algo distinto de um eu condicionado que passa a existir e direcionar aquela corrente. A atenção é expansiva, mas quando é acorrentada ao eu, ela não pode ir longe; perde a sua ritmicidade natural que é proporcional ao interesse que se sente. Quando não estiver assim amarrada – e esta amarra poderá ser muito sutil e elástica – retira-se a pessoa completamente do seu eu. Portanto, o trabalho que é realizado apenas pelo amor ao trabalho ou "pela glória de Deus" – um Deus que é desconhecido e nada tem a ver com o eu – sem qualquer objetivo pessoal, não satisfazendo qualquer impulso pessoal, sempre traz um sentido interno de renovação e tranquilidade.

J. Krishnamurti frequentemente fala da importância de ouvir com atenção total as pessoas que vêm nos falar, ouvir a natureza e também os nossos próprios pensamentos e impulsos internos. Este ouvir está dentro de nossa capacidade e pode acompanhar a observação também com atenção completa.

Geralmente ouvimos meio distraídos, seja em conversa pessoal ou em um debate, talvez pensando, até mesmo enquanto estamos aparentemente ouvindo, naquilo que nós queremos dizer. Mas é apenas quando a mente não estiver preocupada, quando não estiver oprimida, movendo-se em sua rotina, revolvendo suas próprias ideias, que ela poderá dar o tipo de atenção que pode nos manifestar a riqueza inerente da vida.

Se tentamos ouvir todos os sons que possam estar no ar em uma determinada ocasião, sejam os ruídos do trânsito, o som de alguém que está falando ou algo que está caindo no chão, ou o zunir de insetos, podemos estar conscientes de todos esses sons simultaneamente se a mente estiver desimpedida – o que mostra que a atenção não precisa ser um ato positivo limitado, mas que a sua natureza essencial é aberta e inclusa. Assim também ocorre com a observação. Uma criança observa de modo mais concentrado do que nós o fazemos, porque a mente da criança está desobstruída. A palavra sânscrita *Sruti*, usada com relação às escrituras hindus, geralmente é interpretada como o ensinamento que foi transmitido oralmente e se origina de um instrutor ou de alguém que revela algo considerado como instruído. Mas também pode ser entendida como verdade ou conhecimento atingido em um estado de escuta interior com a mente e o coração abertos, porém com atenção total; em outras palavras, pode ser verdade externada por uma voz que emana do silêncio absoluto dentro de nós.

Ocasionalmente se pode ter experimentado um estado de total atenção que, à semelhança do amor, envolve o todo do nosso ser. A mente que normalmente usamos é apenas uma parte disso. Se o nosso coração não está em alguma coisa que fazemos, é quase impossível para a mente dar-lhe a necessária atenção. Quando esta ação total realiza-se, não apenas a mente mas também o coração, nosso ser mais profundo, e o interesse que dele surge, estão todos ocupados e até mesmo o cérebro e os nervos estarão sintonizados naquela condição. Se alguma vez já o experimentamos, sabemos que tem uma qualidade muito particular.

Esta qualidade é compreendida no amor ou na verdadeira devoção que constitui realmente o amor unidirecionado com uma intensa atração para o belo e outros atributos como nobreza, dignidade e assim por diante, que estão presentes no objeto do amor. Shri Krishna, falando de Deus que está presente tanto no homem como na natureza, descreve, no *Gitā*, a condição da mente e do coração de um verdadeiro devoto seu. Ele diz: "coloca teu coração e mente em mim, medita em mim, mergulhe em mim". Estas palavras, se viessem de um Deus exterior ou extracósmico, seriam terrivelmente totalitárias, porém Shri Krishna representa o Princípio espiritual central imanente em todas as coisas e no homem; e, de acordo com a mentalidade hindu, ele também é a quintessência da beleza que assume para cada ser puro a forma ou expressão a qual é irresistivelmente atraído e que molda todos os aspectos daquele ser de acordo com a sua própria semelhança. A palavra Krishna significa "aquele que atrai", e é uma atração que está na natureza das coisas e que só podemos chamar de amor. Foi dito que o amor transforma aquele que ama à semelhança daquele que é amado. É um amor que pode ser tão profundo e real e íntimo quanto o amor daquele que ama; não obstante, não pode ser perfeito, ou amor em verdade absoluta, a menos que esteja isento de qualquer expectativa ou desejo de possuir como é a nossa contemplação da beleza da natureza no pôr do sol.

A verdadeira devoção não é exigida ou obtida por meios coercitivos. Passar pelos movimentos da devoção, mesmo adotando a postura de uma entrega completa como muitas pessoas o fazem, não evocará a realidade da devoção, embora possa iludir o homem que assim procede; assim como um abraço físico, embora um sinal de afeto ou de amor, não pode por si mesmo evocar a realidade do amor. O amor, assim como a devoção, precisa surgir por si mesmo; e surgirá quando não houver impedimento, porque faz parte da riqueza da vida, capacidade para a qual reside potencialmente nas profundezas do coração humano, sendo que a palavra "coração" marca o lado mais profundo e mais sensível do homem. A consciência de uma pessoa quando está livre para expandir-se, e não fechada como quando está centrada em si mesma, floresce sozinha. O que significa essa florescência, a sua alegria e beleza, é experimentado no amor, mesmo assim como o conhecemos.

Quando uma árvore está em flor, a vida naquela árvore está ativa na mais bela forma. Da mesma maneira, pode haver a florescência espontânea de uma natureza de extraordinárias sutileza e sensibilidade profundamente no homem, à qual podemos aplicar a palavra "alma". Esta natureza é então revelada como constituindo em sua unidade o homem real, e tudo o mais é apenas um invólucro exterior. O florescer desta natureza, cuja beleza então se manifesta em todo o pensamento, sentimento e ação, realiza-se apenas em uma atmosfera de liberdade dentro de si, de cada elemento que possa estar no seu caminho e impedir a harmonia inata daquele processo. Se uma flor desconhecida nasce do solo de nossa mente e coração, e nela brotam as mais delicadas pétalas, na realidade, se a consciência assumir a forma daquela flor, nada pode haver naquele solo que não possa prestar-se àquele processo, que não possa tornar-se parte daquela harmonia em evolução. Isto significa que todo elemento de rigidez, desigualdade ou irregularidade em nossa condição interna precisa ser eliminado. Deve haver a máxima flexibilidade do espírito e da mente, de modo que haja a possibilidade, em cada momento, de compreender o padrão daquela flor desconhecida, mas também suficiente firmeza em cada momento, para que a sua forma possa manter-se em posição, uma firmeza que consiste essencialmente em uma condição de não ser afetado por forças que podem procurar desviá-la. Este é um símile material e precisa ser traduzido em termos psicológicos adequados que descrevem as condições do coração e da mente. Quando assim traduzido, isto apenas poderá significar uma renúncia total ao eu, uma condição que está liberta de todas as contradições ou pares de opostos. Quando não houver eu que obstrua, causando estes opostos, o campo estará totalmente aberto e limpo, e será um campo de cognição e sensibilidade puras. É indicado em tratados como a *Luz no Caminho* e outras obras mais antigas que a verdade que então se manifesta é de uma natureza que não pode ser preconcebida, sendo uma revelação da harmonia e das potencialidades que existem nas profundezas impolutas da vida.

8

O EU CAMBIANTE: SUA EVOLUÇÃO

É um fato assaz maravilhoso e extraordinário que todas as qualidades basicamente belas como humildade, simplicidade, pureza e outras que são inomináveis fundam-se em uma condição de mente e de coração. Igualmente, todos os vícios estão vinculados reciprocamente, sendo todos eles a progênie de autoasserção egoística e de desejo; constituem um grupo estreitamente associado, enquanto que as virtudes, consideradas separadamente, constituem uma única constelação.

É o desejo por aquilo que se quer e se gosta, ou busca possuir e reter, que nos torna tão autoassertivos. Mas será que não pode haver o movimento puro do coração, semelhante ao desejo embora não possamos denominá-lo desejo – que não tenha a sua origem no eu? Tal desejo, sem um eu que se vincula ao objeto desejado, possui a mesma qualidade que o amor. Surge de uma mudança no nosso coração, de uma inclinação da vontade, que faz com que a beleza de algo, seja uma pessoa, um objeto, fenômeno ou ideia, flua dentro do coração. Tal movimento surge, não da memória de uma experiência precedente, como ocorre com o desejo comum, porém como uma qualidade que pertence ao livre fluxo da vida. A assertiva e o desejo que busca possuir andam juntos. Podemos não ter compreendido quão estreitamente estão ligados. Quanto mais exigências e impulsos a pessoa tiver, tanto mais dominadora e assertiva ela certamente será. Quando digo "eu quero isto", a ênfase, por mais inconsciente que seja, está centrada no eu.

Todos os vícios surgem de um eu que está potencialmente, ou de fato, em conflito com outros; todas as virtudes, da verdade que ultrapassa aquele eu com uma natureza de harmonia e beleza. A verdade, em um sentido abrangente e tanto subjetiva quanto objetiva. Subjetivamente, é verdade no próprio ser, na sua natureza e na sua ação. Em relação a coisas externas, encontra-se no ver as coisas como elas são, não apenas sua aparência, os fatos crus sobre elas que não nos tocam profundamente, mas também aquelas formas internas ou ideais subjacentes a essa aparência. É a resposta ao ideal que está subjacente ao assim chamado real que evoca em nós o senso de harmonia, embora até mesmo ver o fato como fato e compreender o seu lugar faça parte da resposta completa. É apenas a natureza do verdadeiro ser que pode responder de modo tão completo; é verdadeiro no sentido de não estar viciado, tornando insensível ou deformado por influências que lhe são externas. Sendo todas as virtudes expressões desta natureza, cada uma está relacionada com as demais. Cada virtude representa uma forma ideal da ação ou do ser, e todos os ideais que se refletem na conduta, pensamento ou sentimento, são aspectos de uma verdade ideal que está integrada naquele ser sem deformação. Quando se desperta para a existência desta verdade dentro de si, os seus diferentes aspectos surgem em tantas formas de beleza, como estrelas em um céu do qual desapareceram as nuvens.

Todas as nuvens têm sua origem na terra, e as nuvens no nosso céu mental nascem do apego à sensação em várias formas. O apego a qualquer tipo de sensação, seja física ou emocional, traz consigo ardor e tensão. Pode haver algum grau de ardor ou de febre no sistema da pessoa, porém pode ser que não se perceba aquele fato quando a ele se ficou acostumado. Quando há apego a algo que causa prazer, haverá o impulso para segurar o objeto ou possuí-lo. Todo apego visa a uma sensação de prazer; o objeto ou a pessoa a ele vinculada constitui apenas o meio através do qual aquela sensação é obtida, substituída na medida em que as exigências o requerem. Não se pode realmente encontrar paz na vida, a paz que desce até às raízes do ser, a menos que se tenha eliminado da natureza toda tensão febril, o desejo por um ou outro tipo de satisfação, seja em ater-se às coisas, em possuí-las ou em construir mais e mais do que quer que seja que dê à pessoa um sentido de segurança.

As nuvens no nosso céu nasceram do solo da nossa natureza, isto é, a sua condição, porém, há o céu límpido além delas. A pessoa que não teve nem mesmo um vislumbre momentâneo da natureza e da beleza daquele céu, nem mesmo acreditará que ele existe; se lhe falarem a respeito, pensará que é algo fantasioso; existem apenas as nuvens. Este céu sem nuvens é mencionado nos livros sânscritos como *Chit Akasha* ou *Chit Ambaram*, sendo que *chit* representa a inteligência, *akasha* ou *ambaram* a expansão, ou céu de pura inteligência, de consciência em seu estado original.

Esta expansão, completamente íntegra, corresponde no plano espiritual-intelectual ao contínuo do espaço, ou ao espaço e ao tempo, sem distorção. A nuvem que se acumula e oculta este céu carrega a mistura de várias emoções pessoais que escurecem a nossa existência. Quando há o apego e o desejo que ele gera, haverá também frustração e infelicidade, porque aquilo que é desejado nem sempre é atingido; e até mesmo quando o é, depois de certo período de tempo, não nos dá a felicidade que se espera. E há a reação ao seu gozo, a menos que seja um gozo puro sem qualquer vontade que insista na sua continuação ou retenção. Há frustração quando as esperanças ou não são realizadas ou não fornecem a satisfação que se esperava. Continuando no mesmo exemplo, periodicamente as nuvens se descarregam em forma de lágrimas de autopiedade e de lamento.

As vidas de tantas pessoas são inexpressivas e tristes não pela falta de acontecimentos interessantes e fenômenos, mas por causa de um pesado véu sob o qual as pessoas vivem e têm a sua existência. Pode-se viver em meio a um turbilhão de excitações, mas quando se desgasta a novidade de uma coisa após outra, a vida passa a ser inexpressiva, perde o seu impulso, e destitui-se de alegria; as excitações, então, apenas somam para a infelicidade. Constitui uma experiência bastante diferente viver sem um véu obscurecedor sobre as nossas vidas. É a nuvem impregnada com nossas memórias que sobrecarrega o céu da consciência pura. As memórias precisam necessariamente existir como impressões recebidas no passado, mas elas podem existir sem se transformarem em nuvens carregadas com reações que afetam o presente. Quando este é o caso, elas desaparecem do nosso horizonte sem obstruir a luz que flui de cima. É memória carregada com paixões, com anseios, ressentimentos e assim por diante, que cria os nossos diferentes estados de humor, para usar a linguagem do alquimista, a cólera, a melancolia etc.; são todas aflições do eu psíquico, o corpo de nossa mente e emoções, dando origem a complicações e desordens que ocasionam diferentes tipos de disfunções.

Quando se estuda isso de uma forma puramente intelectual, está-se apenas manuseando um mapa; o mapa não é o país. É necessário viajar pessoalmente pelo país, e a viagem é muito diferente de ver o mapa e de observar as suas características. A questão prática que então se nos apresenta é a seguinte: Como se pode eliminar completamente estes estados de humor, o céu cheio de nuvens, a geração contínua de reações que obscurecem a nossa existência?

O que acontece no curso natural dos acontecimentos? As nuvens desaparecem na morte, não imediatamente, porém no processo iniciado pela morte, que é a morte real, de acordo com os grandes Instrutores espirituais, cujo ensinamento sobre este assunto está bem de acordo com aquilo que podemos compreender das nossas próprias constituições e naturezas. Terão de desaparecer juntamente com as condições que as produziram, as condições da recente vida terrena. Pode-se ser agradecido pelo fato de que há, em dado momento, um fim para um processo que nada é senão um contínuo semear, na maioria das vezes produzindo lamento. É uma condição subjetiva, interna, a qual precisamos atravessar como no sono, quando não mais existe o desafio dos acontecimentos a que estivemos respondendo durante a vida terrena. Faltando o reforço e entregue a si mesma, a condição terá que se modificar, tornando-se mais leve e mais fácil. As nuvens que estiveram presentes, não mais em sua plenitude, ou terão de descarregar-se ou evaporarão e desaparecerão. São todas formadas por estágios no curso dos contatos com o mundo externo, e terão de chegar a um fim por etapas, quando dele forem seccionadas. Tudo isso pode ser tido como provável a partir de um estudo do próprio eu psicológico.

Então é o céu claro que terá que emergir, sendo este céu uma expansão pura de consciência. Naquele céu límpido, as estrelas que aparecerem – talvez inicialmente sejam apenas algumas poucas – seriam as verdades espirituais que se tornam autoevidentes. Todas as formações prévias na mente foram dissolvidas. Mas pode existir uma infinidade de formas de harmonia que podem surgir e aflorar à visão, quando nada existe para obstruir as nossas percepções, embora as verdades mais próximas da nossa compreensão devam ser entendidas inicialmente. A entidade que alcançou assim o topo, em seu momento, é incapaz de ali permanecer para sempre, se ainda possuir reminiscências de ignorância que geram um movimento descendente, quando volta a sua atenção para fora de si mesma. Assim é o ensinamento antigo. Se consideramos a consciência de um indivíduo como consistindo em dois aspectos, o inferior sendo formado pelos seus contatos na terra e o superior, o aspecto metaforicamente descrito como o céu com as suas estrelas, a entidade que ainda possui vínculos ou afinidades com a terra terá que retornar às condições terrenas. O *Gitā* exprime esta volta do ciclo nas palavras seguintes: (livremente traduzidas) "Tendo exaurido o mérito adquirido, o indivíduo retorna à Terra".

A entidade que renasce tem frescor, é pura, praticamente um ser novo. O velho foi transformado em novo, que é contrário à regra aparente da natureza, onde o novo constantemente passa a ser o velho. Se a pessoa puder olhar simultaneamente com algum tipo de visão que ligue o tempo interveniente até o homem idoso da última encarnação, talvez dissoluto, maculado, desgastado e endurecido, porém não disposto a morrer, e a criança jovem reencarnada, meiga, alegre, doce, nova e inocente, apreciando avidamente a vida, seria difícil de acreditar-se que os dois quadros pertencem a uma e a mesma entidade. É a criatura encantadora que em dias passados e em outras condições aparecia como o homem pesado e desagradável, cujos desejos eram insaciáveis, até mesmo de coisas que ele já tinha tido até a saciedade. Como é estranha a mudança! O reverso do processo de dissolução, que é a morte, ocorre em nossas vidas, mas a enfrentamos porque a mudança é tão gradual e assim acostumamo-nos a ela progressivamente. Quando se compreende a natureza revolucionária da mudança que a morte pode trazer, compreende-se também o seu lugar no esquema das coisas. O seu verdadeiro processo interior pode ser posto em movimento em meio às nossas vidas no aqui e no agora. A renovação que aguarda o período da liberação do corpo, quando deixa tudo entregue a si mesmo, pode realizar-se dia após dia no presente, enquanto ainda estamos em nossos corpos. A morte, como um processo de descarregamento interno, purificador e suavizador, não é a morte da deterioração e da decadência. A morte tem uma significação para o homem externo, e algo Oposto em relação à sua natureza interior.

    A transformação do velho no novo torna-se possível porque o frescor e a beleza que surgem são inerentes à alma. Não é algo novo que é criado, e sim uma natureza que esteve presente, embora oculta, que é revelada e manifestada. A alma, na sua verdadeira natureza, não pode deteriorar-se – isto terá que ser considerado como um postulado – ela é um receptáculo, ou meio, das águas mais refrescantes da vida. É a mente que se deteriora e, naturalmente, também o corpo, influenciando a mente. É a natureza da relação entre a alma e a mente que possibilita que a mente em sua liberdade torne-se corrompida e então ela obscurece e se divorcia da alma. É a mente corrupta e doentia, que é o fator principal na deterioração das nossas naturezas terrenas e a alma, que possui uma natureza tão diferente, está tão distanciada no interior das vestes materiais e mentais que a sua própria existência é ponto de conjectura e dúvida. Sabemos pouco a respeito dela porque a sua natureza tem tão pouca ação em nossas vidas comuns. As pessoas têm todo tipo de ideias fantásticas a seu respeito, como se fosse um objeto igual a um gato preto em um quarto escuro, ao invés do conhecedor puro ou o sujeito em uma pessoa.

A natureza inerente da vida é uma natureza de frescor, de energia, de sensibilidade e beleza; ela precisa ser libertada, não adquirida. Se isso é assim, atribui uma configuração ou aspecto diferente ao todo do problema da transformação que é possível em nós. É um problema apenas para a mente que pensa na base das aparências. Deixa de ser problema quando se vê a possibilidade, bem como a vantagem, da condição representada pela palavra "alma". Quando a mente está totalmente quieta, tendo renunciado a tudo de finalidade ou preocupação pessoal, então aquela outra natureza a ser vinculada com aquela palavra surge no próprio horizonte e se manifesta.

Retornamos à encarnação com aquela natureza verdadeira e original refletida na criança, porém a nova entidade muito em breve fica obscurecida e torna-se muito semelhante às pessoas ao seu redor. Ela sucumbe às várias influências estranhas à sua verdadeira natureza, em virtude da falta de percepção. Deveria ser possível para a pessoa atravessar os sucessivos estágios de sua vida sem sucumbir desta maneira, não passando pela metamorfose infeliz que se realiza na maioria dos casos.

Mas raro é o indivíduo que permanece não afetado, puro como um lírio em uma lagoa, mesmo em meio às impurezas e às algas em decadência. Ocasionalmente se pode ver um toque daquela qualidade em alguma pessoa excepcional, ao longo da qual o mundo costuma passar como se nada representasse.

Qualquer idade pode ser bela em si mesma, sem dar origem a qualquer deterioração interior. A criança inocente poderá reter a sua inocência, e mesmo assim pode crescer para estar plena daquele encanto especial da juventude, seja menino ou menina, o ardor, a esperteza e a prontidão para responder e agir sinceramente. Até mesmo na idade avançada podemos ser, no fundo, uma criança e também estarmos repletos de um espírito jovem, capazes de beber na poesia da vida – não o tipo de juventude efervescente que é característico da imaturidade da pessoa, pronta a entregar- se a qualquer coisa para ser seduzida e presa. Há juventude e juventude. Infelizmente, a plenitude da juventude que está na natureza da alma não está muito em evidência atualmente, mas existe o outro tipo que é autoassertivo e autoconsciente e que despreza os mais velhos, pensando que pode construir um mundo novo sem ele próprio ser novo. Tal pensamento constitui meramente uma expressão de uma reação cega à velha ordem das coisas. Embora seja esse tipo de juventude que se projete na atualidade, esperamos que haja também parte daquele outro tipo que possui as virtudes e a graça da juventude justamente com a energia de um espírito expansivo. A modéstia, a afeição em prontidão, a disposição de aprender, o cuidado e o respeito pelas pessoas, amor à ordem – virtudes tão altamente apreciadas antigamente – será que todas elas não poderiam coexistir com o brilho da energia jovem, bem como o pensamento renovado e não afetado? Deveria ser possível.

Se achamos que não o é, então não teremos atingido aquela condição de existência onde se encontra esta possibilidade. Aquilo que imaginamos ser possível como condição que pode ser alcançada em nós mesmos e que é extremamente desejável pode ser alcançado porque ela indica que esta condição interna já está presente em algum ponto dentro de nós e dela nos conscientizamos.

    A última fase da vida também pode ser bela como o sol em declínio entre as cores do outono, o maravilhoso cenário que a natureza apresenta em determinado período do ano, quando todas as árvores são cheias de cores, e o calor do sol é suave, sem resquícios da sua fúria anterior, e ele afunda com uma beleza singular naquela esfera que está além da nossa visão. Na idade avançada pode haver uma qualidade como a luz do sol que se põe, carregando a inocência, o ardor, a capacidade de compreender e realizar nos períodos anteriores, mas também manifestando sua suavidade e maturidade especiais, imbuídos de um espírito de paz, disposto a penetrar nas profundezas de uma condição que transcende tudo que até então foi vivenciado. Tal vida desde o início até o fim seria o fenômeno mais belo da existência. Na história do mundo, deve ter havido alguns espíritos escolhidos que assim viveram, prosseguindo de uma fase da vida para outra, todas interligadas melodiosamente e fluindo à semelhança de um belo córrego.

    A vida está repleta de dificuldades e de problemas, porém em meio a eles e às contradições que se apresentam, tarefas e responsabilidades, deve ser possível ter uma condição interior que manifeste a beleza de um Espírito que, à semelhança do sol quando nasce, atravessa os céus e se põe, lançando os seus raios em ângulos diferentes, porém soando em cada fase da jornada a sua melodia apropriada.

A natureza renova as formas da vida em seus domínios de forma mecânica e periódica; a renovação é apenas uma fase de um ciclo. Mas podemos renovar-nos definitivamente com a nossa livre inteligência; não a mente agitada e inventiva, porém uma inteligência que funciona em desapego e paz. Da mesma maneira como o sol retira os seus raios da terra que escurece, nós podemos retirar o nosso interesse febril das condições que criamos, incluindo tudo que a ele se atém, a condição em que estabelecemos com todas as nossas posses, posição e prazeres, em resumo, a formação psíquica complexa com a qual circundamos o verdadeiro ser interior. Deve ser possível, mesmo antes da nossa morte, penetrar nas profundezas daquela consciência interior que anuncia paz e compreensão perfeitas, embora continuemos a fazer o que é necessário no mundo, nele não perdendo o interesse, porém permanecendo em contato com seus povos, conscientes de suas preocupações e insensatez.

Diz-se que o Buda falou o seguinte: "Deixai de fazer o mal, aprendei a fazer o bem, limpai o vosso próprio coração. Esse é o ensinamento dos Budas." Podemos ser tocados profundamente por esta fraseologia simples, abrangendo uma profundidade tão extensa de significado. Quando a purificação se realizou, há também a simplicidade em nossas natureza e vida. As nuvens criam uma condição atmosférica complexa, mas, quando esta desaparece, o céu afigura-se sereno e simples. Esta é realmente uma condição de estar livre de todos os elementos em nossa natureza que ocasionem decadência, que distorçam, que nos façam cair da simplicidade original para o esbanjamento em uma condição de estarmos dissolutos, desejando cada vez mais e mais, nunca estando satisfeitos, cheios de autopiedadde e de impulsos que parecem insaciáveis. É apenas em tal estado de coração e de mente que podemos realmente conhecer a verdade que importa. Até então, qualquer verdade que imaginamos conhecer será meramente exotérica, será apenas a casca e não a semente, a aparência, e não a coisa real.

9

ENCONTRANDO A MORTE COMO A UM AMIGO

Um dos Diálogos mais famosos de Platão, que atraiu mais atenção que qualquer outro, é aquele em que ele relata a morte de Sócrates. Havia alguns amigos presentes durante o dia em cuja noite deu-se a sua passagem, e esse Diálogo apresenta-se em forma de uma conversa que se realizou naquele último dia. Começou com argumentos sobre a preexistência da alma, e várias ideias foram abordadas com relação à sua natureza. Esta parte da discussão termina com a afirmação da imortalidade da alma. Até mesmo nos dias de hoje, parece-me que vale a pena considerar os pontos que foram então discutidos:

Quando os seus amigos entraram no cárcere, viram Sócrates esfregando a sua perna que acabara de ser liberta dos grilhões. O ponto notável sobre a sua conduta, quando encontrou os seus amigos, foi que ele não fez qualquer queixa; não havia o menor indício de lamento sobre sua própria condição; apenas teceu considerações sobre a extraordinária alternância e conexão entre o prazer e a dor na vida. Disse que até então tinha havido uma experiência de dor, mas agora que estava livre dos grilhões houve imediatamente prazer. Se qualquer um de nós tivesse estado na sua situação, pergunto-me sobre que tipo de sentimentos ou pensamentos teríamos tido.

Naturalmente, Sócrates estava antevendo sua morte. A conversa então prossegue, e várias ideias são trocadas, e quando se aproximou a noite, ele recebeu a taça de veneno que beberia, pronta e calmamente, segundo se diz, da maneira mais descontraída e tranquila possível. Quando o veneno começa a fazer efeito, Sócrates friamente descreve o avanço da morte sobre o seu corpo, a partir dos pés, etapa por etapa. É uma cena bastante extraordinária; não há registro de qualquer evento desta espécie.

Aparentemente a conversa continuou durante horas a fio. Depois de debater sobre a natureza da alma, Sócrates explica sobre as finalidades procuradas pelo verdadeiro filósofo e por que a morte lhe é bem-vinda. As declarações feitas não são asserções, mas meramente uma discussão sobre ideias, sobre possibilidades e inferências a serem delas feitas.

Um dos amigos de Sócrates sugeriu que a alma pode ser concebida como sendo da natureza da harmonia. Se o corpo pode ser comparado com uma lira ou alaúde, por exemplo, a alma poderia ser a música produzida. Esta visão – embora atribua à alma uma dignidade e natureza que podem possuir tanto profundidade quanto beleza – não lhe outorga um *status* independente. A visão apresentada parecia propor aquilo que se poderia denominar de teoria epifenomenalista, ou seja, o corpo é a realidade, várias atividades nele se desenrolam, particularmente as do cérebro, e a alma, embora possuindo uma natureza de harmonia, é meramente um produto daquelas atividades, talvez apenas daquelas dentre elas que poderiam conduzir a este resultado. Mas quando o instrumento estivesse danificado, não mais haveria música. Não houve objeções nestas linhas.

Outra ideia colocada, de natureza similar, sugeria a analogia mecânica de um fogo. Poder-se-ia encarar o fogo como a consciência no homem, animando o corpo; uma vez dissolvido o corpo, o fogo estará extinto. Essa ideia é como o pensamento da Escola Meridional de Budismo, mas eles provavelmente diriam que é um fogo misturado com a fumaça, que é dissipada.

Esses argumentos não são destituídos de interesse. Quando consideramos como as coisas poderiam ser, se determinado ponto de vista se justifica, qual a visão que pode ser razoavelmente defendida, então a passagem por esta linha de pensamento não está destituída de um elemento instrutivo e de valor.

Na natureza ocorrem tantas coisas, como o nascer e o pôr do sol, de uma maneira que é contrária aos fatos reais. O argumento de que a alma ou a mente – por enquanto colocando-as juntas – é meramente uma espécie de imagem refletida das atividades no campo material do cérebro, embora plausível, pode também ser contraditório em relação aos fatos. O que inicialmente parece ocorrer, à primeira vista, pode não ser a verdade básica ou subjacente.

Sócrates vence as objeções à ideia da imortalidade da alma. Na realidade, em outro Diálogo, Platão destaca estas objeções, marcando-as como constituindo a raiz de toda a forma "irreligiosa de filosofia", embora ele fosse tão lógico que poderia não ter assumido que o que é aparentemente verdadeiro é religioso. O que é verdadeiro pode ser considerado religioso, mas aquilo que está de acordo com a religião como ela se apresenta pode não ser verdadeiro.

Os argumentos feitos quanto à preexistência da alma são ideias que desde então se tornaram famosas como parte da Filosofia Platônica. Houve referência à antiga crença de que uma alma nascida neste mundo voltou de um outro mundo para o qual o homem vai na morte. É claro que este é um conceito amplamente aceito na Índia, mas ele também existiu no pensamento antigo em outros povos. A sugestão foi no sentido de que os mortos originam-se dos vivos; os vivos originam-se dos mortos. É um fenômeno de ocorrência cíclica como o sono, o estar acordado, e o sono novamente, e está de acordo com a verdade ou regra na natureza de que os opostos se geram reciprocamente. Morrer e nascer constituem um par de opostos. Mas, aparentemente, não houve uma investigação mais profunda sobre a forma de sua ligação, de sorte que um acontecimento dá origem ao outro em seu curso. Platão tinha uma forma de, às vezes, lançar uma ideia profundamente sugestiva e envolvente para depois deixar que os outros continuassem a investigá-la por si mesmos.

Outro argumento referiu-se a uma ideia que Sócrates havia anteriormente proposto, no sentido de que todo o conhecimento real é reminiscência, uma lembrança no cérebro físico. A alma deve ter existido e deve ter tido conhecimento de uma natureza específica, antes de ter sido unida com o corpo, e a evidência disso e o fato de compreendermos coisas como justiça, beleza, igualdade de espírito e assim por diante, e essas ideias não se originarem de percepções dos sentidos. Portanto, elas devem já ter estado integradas no conhecimento da alma. As percepções sensoriais – ouvir sons, ver que algo é vermelho ou preto, que outra coisa é alta ou baixa – todas são ideias comparativas. Meramente baseado nessas percepções não se pode desenvolver ideias de beleza, justiça, moralidade e assim por diante. Portanto, conhecimento e ideias devem ter uma fonte diferente. Além disso, se a alma existia antes do nascimento e de forma independente, então ela não pode morrer com o corpo.

Sócrates também expressou a opinião de que a alma não pode ter uma natureza constituída de vários fatores, pois, assim, a sua condição modificar-se-ia. Deve ter uma natureza que é imutável. Muito embora uma alma possa estar mais desenvolvida do que outra, a sua natureza essencial deve ser a mesma. Um conjunto de fatores variáveis é passível de mudança, ao passo que aquilo que é simples, monádico[1], essencialmente terá de permanecer o mesmo.

Foi também feita a declaração de que sejam quais forem os seus outros atributos, a alma deve ter uma natureza de vida. Não pode ser uma abstração, uma projeção mental. Esta vinculação da vida e da alma, obviamente importante na série de ideias expostas, estava oculta pela afirmação de que a alma deve ser da mesma natureza da Divindade para assegurar a crença na sua imortalidade. Apenas o Divino pode ser imortal, e aquilo que não é Divino deve ser mortal.

Depois, Sócrates exorta seus amigos a adquirirem virtudes e sabedoria nesta vida. O momento de sua morte estava se aproximando, mas ele continuava a falar de maneira natural e fácil como o fizera em qualquer outro dia de sua vida. Disse ele: "O filósofo autêntico é aquele cuja mente está direcionada para a verdade e a virtude." A palavra "filósofo", bem como a

---

[1] Referente à "mônada", a parte imortal do ser humano, que reencarna nos reinos inferiores e progride gradativamente até a meta final. (N.E.)

palavra "filosofia", tornaram-se bastante modificadas em seu significado desde aqueles dias. Atualmente, achamos que um filósofo é uma pessoa que analisa e argumenta extensamente, e, às vezes, infinitamente, a sua tese específica; a vida que ele leva nada tem a ver com a sua habilidade e atividade intelectual; mas não era esta a visão de então. No significado literal da palavra, filosofia é amor à verdade, e amor sempre implica ação. A verdade, se sua natureza for tal que evoque o amor, terá de produzir uma mudança importante na pessoa, voltando o seu interesse das coisas dos sentidos, que são efêmeras, constituindo nada mais senão gozo e prazer, para as coisas nobres e autênticas. Este foi o antigo conceito de um filósofo. Como a sua mente está direcionada para a verdade e a sabedoria, o filósofo, disse Sócrates, é uma pessoa que "está disposta e pronta para morrer". Portanto, a morte não é mal recebida por ele. É assim que ele explicou o seu contentamento sobre a perspectiva de partir deste mundo. Mas ele também disse que não é certo cometer suicídio. O seu argumento contra o suicídio é bastante curioso: neste mundo, estamos em um tipo de prisão, vivendo sob grandes limitações. É um mundo no qual predomina mais a ignorância do que a sabedoria, mas dele não devemos escapar antes de recebermos permissão para fazê-lo. A saída da prisão pode ser muito bem-vinda, mas não devemos nos evadir dela por nossa própria iniciativa. Também foi feita a afirmação de que ninguém possui direito de posse sobre o seu corpo. Esta não seria a visão geralmente defendida pela maioria das pessoas, mas temos a responsabilidade de usarmos o corpo adequadamente, mantendo-o em boas condições, o que é precisamente o ponto de vista expresso na obra *Aos Pés do Mestre*.

    Porque a morte é bem-vinda, e a mente é direcionada pelo filósofo para a verdade e a virtude, para ele, a filosofia passa a constituir realmente uma preparação para a morte, o que é uma ideia surpreendente. Alguns estudiosos interpretaram as palavras gregas como significando, "a Filosofia constitui realmente uma meditação sobre a morte", o que não me parece estar em consonância com a maneira natural com que Sócrates a compreende. Outra colocação e muito mais compreensível, ou seja, quando a vida for vivida de forma adequada, direcionada para aquelas finalidades que constituem as finalidades da alma (não os desejos do corpo), então a filosofia ou "a vida de um filósofo nada mais é senão um longo ensaio para o processo da morte". Pode-se viver uma vida feliz, mas pode também ser um processo de morte, que poderá necessitar de explicitação.

Sócrates adianta que as multidões, o povo em geral, ignoram o sentido no qual o filósofo recebe a morte. Não significa que ele deseja livrar-se do corpo, mas que ele tem um sentimento acolhedor em relação à morte. Tem este sentimento porque não atribui grande valor às gratificações dos apetites físicos. A maioria dos homens estima o valor das coisas através do prazer que proporcionam, mas o objetivo do filósofo é o de libertar-se tanto quanto possível da dominação do corpo. Esforça-se para cultivar a alma, dando atenção àqueles assuntos que são de interesse da alma como a verdade, a virtude e assim por diante. Ao proceder desta maneira, já se separou do seu corpo. E como abandonou todo o apego aos prazeres que se apresentam à pessoa através do corpo, a morte nada mais é senão uma saída por uma porta aberta. As coisas que alimentam a alma são aquilo que é direito, bom, verdadeiro, belo e assim por diante. Disse Sócrates: "Aquele que não se preocupa com os prazeres do corpo quase chega à morte." Pode-se usufruir os prazeres que surgem momentaneamente, mas não se deve desejá-los com ansiedade. Alijando-os do campo das preocupações e interesses, quase se chega à morte. É neste sentido que o filósofo deseja a morte, mesmo enquanto está vivo. Isto é semelhante ao ensinamento de J. Krishnamurti, embora ele não fale da morte como uma saída bem-vinda, mas de morrer aqui e agora para o nosso passado e para toda a experiência na medida em que surge.

O filósofo, cujo interesse está centralizado na virtude e sabedoria, purifica, assim, a sua inteligência, de maneira que ela está livre de toda a mácula, de todo elemento a ele estranho. É a purificação da natureza integral do ser humano que faz florescer a independência espiritual, e esta é a verdadeira liberdade ou *Mukti*. *Mukti* não é literalmente uma fusão no Logos; antes que possa processar-se a fusão do espírito humano no Logos, o homem terá de libertar-se de seus laços ou apegos.

Para expressar a mesma verdade de outra forma: é realmente o abandono do passado da pessoa, de todos os apegos que dele surgem, que transforma o homem em um novo ser. A entidade que está atualmente funcionando é uma criatura do passado; ela vem acompanhando uma linha de continuidade e tem dentro de suas natureza e constituição muitas coisas que derivaram do seu passado e de suas experiências. Transformar-se em um novo ser é estar limpo do passado, de modo que ele não mais domina, obscurece ou dirige o presente.

Esta forma de morrer toma a vida realmente muito mais vital, menos embaraçada e oprimida, de maneira que todas as percepções são mais exatas, e a inteligência passa a ser intensa, concentrada e semelhante a uma chama. É em um estado de pureza interna que a pessoa atinge a mais alta qualidade no funcionamento de todos os aspectos do seu ser. Toda a substância em seu estado puro exibe a sua potência plena.

Casualmente foi feita a afirmação de que a filosofia é a música de mais alta qualidade. Sócrates disse que tinha um sonho persistente no qual lhe ordenavam dedicar-se à música, e como ele compreendia ser a filosofia a música mais elevada, estava dedicando-se à filosofia. O conceito de ser a filosofia a forma mais elevada de música torna-se mais claro à luz da afirmação feita anteriormente com relação à natureza da alma como sendo uma forma de harmonia. A objeção anteriormente formulada de que ao ser avariado o instrumento não pode mais haver qualquer música foi respondida por Sócrates com a observação de que a alma pode existir, embora ela possa ou não ter um instrumento. É bastante interessante que, em uma das palestras feitas pela Dra. Annie Besant, em seus dias de ateísta, ela usava precisamente este exemplo. Ela dizia que embora a lira possa estar avariada, a música pode ainda existir.

Como razão de estar disposto a morrer, Sócrates comentou que estaríamos muito bem no local para onde iríamos, sob a orientação de bons Mestres e em meio a amigos. As pessoas gostam de encontrar-se em ambientes que lhes são familiares. Se um homem realmente dedicou a sua vida à filosofia, ele pode estar certo de que será bem colocado. Estará feliz em proporção à pureza de sua mente, o que também constitui uma verdade importante.

A felicidade não deve ser confundida com prazer; ela se origina da pureza da mente e do coração e surge de forma natural; não precisamos procurá-la de modo algum. Assim, Sócrates disse que, se um homem dedicou-se à virtude e à sabedoria, poderá nutrir a esperança bem fundamentada de que estará cercado pela maior benevolência no outro mundo, o que está de acordo com os ensinamentos nos livros teosóficos.

Foi feita uma outra observação digna de ser mencionada. Se algum dia chegarmos a conhecer a natureza de algo em sua essência, conhecer a sua realidade autêntica e não meramente a forma, a aparência, o invólucro externo, teremos de estar separados do corpo e contemplar as próprias coisas em si através da alma apenas. É somente a visão da alma, a sabedoria da alma, que pode proporcionar a essência da verdade com relação a qualquer coisa existente. O *Bhagavad-Gitā* refere-se aos "conhecedores da essência das coisas", sendo a qualidade essencial de uma coisa aquilo que a torna diferente de qualquer outra coisa. A essência, o objeto em si mesmo, apenas pode ser conhecido através da alma e jamais através dos sentidos.

Quando vivemos, nos aproximamos mais do conhecimento daquela essência ao não mantermos comunicação ou comunhão de espécie alguma com o corpo, exceto para as necessidades absolutas, isto é, quando deixamos de ser dependentes do corpo, influenciados pelos seus apetites, impulsos e paixões. Em outras palavras, todo o esforço e estudo na filosofia, segundo a acepção antiga da palavra, implica na entrega e separação da alma do corpo, e isso pode ser tentado e logrado até mesmo enquanto a pessoa estiver vivendo neste mundo. Não é algo que precisa realizar-se por um processo da natureza, mas pode ser atingido pela própria inteligência perspicaz da pessoa.

Quando há liberdade de dependência do corpo, quando esta mudança se realiza em sua plenitude, então a morte e a vida são a mesma coisa para o homem real, sendo o homem real a alma; não lhe faz diferença se vive ou se morre. Isto também nos faz lembrar a frase contida no *Gitā* que diz que "Os Sábios não lamentam nem os vivos e nem os mortos". Isto significa que existe a possibilidade de alcançar uma condição ou estado interior no qual a vida é exatamente a mesma coisa, se vivida no corpo físico, que foi chamado de prisão, ou fora dela. A alma usa o corpo como instrumento, sem a ele se apegar.

   Esse Diálogo específico está repleto de ideias esclarecedoras para todos aqueles que tentam compreender estes assuntos: a natureza da alma, da vida neste mundo, os objetivos mais dignos por que se esforçar, o novo significado que a morte pode adquirir, e a possibilidade de enfrentar este acontecimento com frieza e até mesmo de bem acolhê-lo.

10

A CANÇÃO DA VIDA

"Ouça a canção da vida. A própria vida tem voz e nunca está silenciosa, aprenda dela a lição da harmonia." Estas frases originam-se da obra *Luz no Caminho*, a qual, à semelhança de outras obras teosóficas, como *A Voz do Silêncio* e *Aos Pés do Mestre*, indica, em sua maneira singular, ao estudante ou aspirante dedicado a natureza da senda a ser por ele trilhada e o empenho no qual deverá concentrar as suas energias. As palavras e expressões usadas nessas e em outras frases que seguem como que em uma série têm um profundo significado que pode facilmente nos escapar. Por exemplo, já a primeira palavra, "Ouça", aponta para um estado de existência que o aspirante tem de alcançar para que se coloque em uma condição de receptividade à verdadeira natureza das coisas, à verdade que então desenvolver-se-á por si mesma. É necessário ouvir com todo o ser, com todo o coração. Para fazer isso, deve-se pôr de lado as preocupações, as ideias que se podem estar constantemente revolvendo na cabeça e que constituem uma barreira ao contato imediato e direto com o verdadeiro e o real. Terá de prevalecer uma condição de silêncio para que possa ouvir aquilo que a vida tem a dizer, uma condição na qual não se projeta quaisquer ideias do depósito da memória. Aquilo que é percebido ou ouvido terá de sobressair-se de forma clara por si mesmo. J. Krishnamurti destaca que a ideia de uma árvore nos impede de olharmos para a árvore e vê-la como ela realmente é. Toda ideia passa a ser um véu através do qual olhamos para a realidade que ela representa.

A preocupação com a própria pessoa e tudo que se deseja usufruir e possuir acumula, naquele centro que é o eu, as energias que deveriam fluir para o exterior em todas as direções. A periferia, onde o eu se encontra com o mundo, endurece-se então na forma de uma carcaça de indiferença e cria uma surdez interior, interceptando tudo que a vida em todas as formas tem para transmitir.

Usamos a palavra vida em dois sentidos. Em um sentido, ela é tudo que nos acontece, o panorama e os incidentes que nos afetam. Estes também têm algo a dizer. Mas é no outro sentido, da corrente da vida que flui, seu movimento através de cada criatura viva continuamente ocasionando mudanças tanto na vestidura material quanto na condição de sua consciência, que a vida exterioriza sua mensagem. A sua ação reveste-se de significado. Sem ação, não há vida.

Uma árvore é um objeto muito comum na natureza. Frequentemente tem grande dignidade e beleza. Quando está florescendo, há algo de transcendental a envolver aquele fenômeno. Esta beleza, a qualidade transcendental, faz parte da revelação da riqueza da vida, sua expressão. Mas podemos estar tão submersos em nossas maquinações, as ideias ocupando as nossas mentes, que falhamos em observar este fato. Assim – "Olha seriamente toda a vida que te circunda." Estando em seu centro, precisamos tornar-nos conscientes de nossa relação com ela. A vida em todas as suas formas, perfeitas ou imperfeitas, exprime, de forma clara ou fugaz, uma ideia divina profundamente dentro dela. Quando para ela estamos abertos, a nossa própria vida não mais constitui algo isolado. Passa a surgir uma sensação de espaço dentro de nosso próprio ser, na direção de um movimento de expansão que abrange todos os demais.

Infelizmente, vivemos em uma condição de estarmos encerrados, exceto com relação àquilo que afeta o nosso eu pessoal. Há uma falta de um sentir genuíno, seja pelas pessoas ou coisas, exceto por aquilo que se origina de nossos próprios gostos e aversões. Há muito pouco sentimento para a vida no mundo moderno, que é organizado mais e mais para a satisfação dos anseios insaciáveis do homem. Na proporção da extensão em que há concentração nas satisfações e indulgências egoístas, há cada vez menos consideração pelos outros. A mentalidade de usar e explorar tudo que vem ao nosso alcance não estabelece distinção entre formas animada e inanimada. Esta mentalidade desenvolveu-se a partir de uma relação entre a mente e o eu, na qual o eu solicita sempre mais sensações e variedades de sensações, e a mente inventa formas de provê-las. Mas a sua ação conjunta elimina a capacidade para a existência de qualquer sentimento autêntico que não tenha motivo enraizado no eu. Isolamo-nos de todos os aspectos da vida, exceto dos materiais e biológicos.

Preocupamo-nos com um ser vivo apenas na medida daquilo que dele possamos obter, a sua carne, a sua pele, o divertimento que pode nos proporcionar para atirar e caçar, o seu corpo vivo para experimentos em formas diferentes e para uma variedade de finalidades. Cruelmente criamos animais para todas essas finalidades. O corpo vivo é uma fábrica química e biológica, e fazemos uso desta fábrica que tem funcionamento próprio com gastos reduzidos. É uma idade da máquina e olhamos para o corpo do animal como se fosse uma máquina. Somos indiferentes ao seu prazer ou dor, pois almejamos o prazer apenas para nós próprios.

A vida é algo extraordinário, mas ignoramos, negamos ou suprimimos aquilo que é extraordinário nela e a respeito dela. Queremos a vida apenas como algo a ser usado. Esta atitude estende-se também aos seres humanos. Quanto mais as nossas próprias conquistas e prazeres absorvem o nosso tempo, capacidade e energia, necessariamente eles estarão em menor disponibilidade para considerarmos as alegrias e dores de outras pessoas e criaturas.

Negamos à vida os seus direitos inerentes, a sua própria alegria e expressão. Cada coisa viva existe para o gozo de sua vida, de seus movimentos, e não para nossa gratificação. O mínimo que por ela podemos fazer é nos abstermos de matar, a menos que matar passe a ser inevitável. Mas o que fazemos é infligir dor e sofrimento deliberadamente, exceto nos nossos animais de estimação. E, diante desta realidade, como podemos conhecer algo sobre a canção da vida?

Quando não houver sentimento pela vida em geral, tampouco poderá haver para com os nossos próximos, exceto aqueles sentimentos que podemos demonstrar quando atendem aos nossos interesses próprios. Mas aquilo que se origina de um impulso de autoindulgência, autoproteção ou autoaprimoramento não é sentimento verdadeiro.

Embora o homem seja um ser vivo como as outras criaturas, há uma distinção importante entre eles naqueles pontos que transcendem o nível biológico e o nível de uma mente rudimentar que começa a basear-se em uma memória em expansão, como a que encontramos nos animais. No que tange aos seres humanos, é nas qualidades que não fazem parte dos níveis mecânicos da vida inteligência, amor, beleza e assim por diante – que se encontrará o verdadeiro significado da vida. O real significado da vida constitui, atualmente, o favorito dos questionamentos, geralmente deixado sem resposta. O verdadeiro significado reside nas formas de sua própria expressão e natureza de suas criações. O significado lhe é atribuído, por assim dizer, pelo ser individual. É dado apenas no sentido de que ele viabiliza a expressão do seu significado interno e adequado ao não interferir em uma mente baseada no eu. Então passa a ser um mero instrumento, identificado com a expressão que se realiza por si mesma.

O ser humano é complexo e difícil de compreender, porque a sua vida é em grande parte moldada pelas duas forças – o eu e a mente. A vida, enquanto distinta da mente, que é considerada como seu instrumento, e o eu, que é produto da memória, encontra a sua própria expressão adequada e livre através do homem apenas na medida em que estes dois fatores, que estão extremamente ativos em seu interior no momento, criam espaço e o permitem. É apenas quando o eu da separatividade desvanece em inação, ou desaparece completamente, que a mente pode emprestar-se à finalidade da vida como instrumento integralmente maleável e sensível. Um aspecto do homem é tão belo que por esta beleza pode atrair todo o amor que jamais pode existir; mas, em outro aspecto, quando age como o eu mesquinho com a mente que maquina, atrai e dá origem a emoções e sentimentos muito diferentes. É necessário ultrapassar esta barreira para conhecer as pessoas como elas são intrinsicamente. Assim, o livro diz: "Aprenda a olhar de forma inteligente nos corações dos homens." Precisamos olhar com interesse puro, não com curiosidade, tampouco suspeita, não com qualquer motivação que distorça o olhar. Quando a mente estiver aberta e passível de receber impressões, este interesse manifestar-se-á. É a resposta interna da vida una enquanto individualizada em alguém para sua expressão em outro ser. A resposta terá de surgir de uma natureza de pureza que é negativa[2] e sensível. É com esta natureza que se pode ouvir as melodias ocultas da vida. Responde-se então às expressões positivas que constituem a expressão da vida em outros seres, e também se compreende o jogo da mente e do eu que interfere naquela expressão.

A vida que flui desde o interior expressa-se em vários graus como interesse, atenção, percepção, sentimento, sensibilidade e amor, e a sua tendência, quando em liberdade, é criar uma forma de harmonia ou beleza. Quando não houver nada para impedir o fluxo, todas estas qualidades aparecem no quadro que a vida apresenta. O interesse surge como um aspecto da ação espontânea da vida. Há em nós uma natureza que pode responder da maneira mais espontânea e apropriada quando o objeto – seja qual for diante dela se apresentar. Esta resposta surge de uma sintonia perfeita com a natureza daquele objeto, e esta sintonia é instintiva e automática, como a focalização do olho físico para adequar-se a distância, à magnitude, a luz e assim por diante. A sintonia ocorre com a maior facilidade, e a resposta vem em um relance, quando toda a natureza interior

---

[2] A palavra "negativa" neste contexto, assim como: negativo(s) e negação, em outras passagens deste livro, têm a conotação de receptividade, e não devem ser consideradas no sentido pejorativo. (N.E.)

estiver em um estado absolutamente negativo e adaptável, e não positivo, rígido ou afirmativo. A resposta é então, perfeitamente adequada ao objeto que a evoca, variando de acordo com a natureza do objeto, que pode ser um fenômeno da natureza ou uma circunstância ou evento humanos. A perfeição da adaptação, em termos humanos, simpatia, compreensão e intimidade de contato, surge de um sentido inato naquela natureza ou fonte pura, da qual se produz a corrente da vida. A energia da vida, quando não for constrangida, manifesta a natureza de sua unidade em formas de harmonia, e dá origem à criação contínua, e, assim, a toda a beleza que vemos na natureza e nos seres humanos, a melodia das expressões de vida sempre em variação.

A vida, como energia única diferente de todas as outras forças que observamos, jorra do interior, da natureza pura, um substrato desconhecido, e também uma expansão da consciência, intocada, imaculada, cuja real natureza é a sensibilidade. Como nela existe tanto energia quanto sensibilidade, precisamos pensar naquele substrato, chamado *akasha*[3] nos livros antigos, como cintilando com inteligência em todos os pontos. Cada expressão definida e positiva desta energia, quando não estiver tolhida, está em uma forma de harmonia. Como vemos as suas qualidades em todos os seres vivos, antes de tornar-se endurecida, também terá uma natureza de frescor. A vida é frescor constante, em virtude de sua essencial unidade, uma simplicidade que não pode deteriorar-se. É apenas o corpo, um composto, que pode deteriorar ou decair. Juntamente com o frescor, há pureza e inocência, enquanto nada aconteceu para distorcer as forças que a vida põe em movimento, criando complicações.

---

[3] Espaço, éter. A sutil, supersensível essência espiritual, que preenche e penetra todo o espaço. (N.E.)

E porque a vida é, essencialmente, unidade, não um composto, e ainda assim nos elementos e nas forças de sua expressão uma multiplicidade em forma de harmonia, que se externa tanta beleza em suas manifestações. O senso do belo não pode surgir do raciocínio ou de qualquer outro processo puramente mental. É mais inclusivo e básico do que qualquer processo desta natureza. A natureza da unidade que existe na vida procura expandir-se em uma harmonia tanto no cosmos como um todo, quanto em qualquer ser individual. Em toda a natureza, em meio aos seus diversos processos, existe uma tendência para o belo, uma inteligência sempre presente que opera de formas muito sutis, na medida em que estas revelam-se para dar origem às harmonias que são possíveis.

É a partir deste sentido básico, que há na vida, que ela expressa a sua mensagem. Assim, profundamente arraigado em sua natureza e ser, cada coisa viva possui uma mensagem própria. Esta é a voz da vida, também a sua canção, a qual, quando a ouvimos, nos ensina a lição de sua harmonia.

A última frase da série mencionada diz: "Analisa com a maior seriedade teu próprio coração. Pois através do teu próprio coração surge aquela luz que pode iluminar a vida e tornar todas as coisas compreensíveis aos teus olhos." Esta luz una é a luz da perfeita compreensão, que com um sentido inato, capaz de sentir a natureza de qualquer nuança e variação, guia a expressão da vida, a sua voz, seja em nosso interior ou em outros seres. Aquela luz pode estar oculta pelo veículo exterior, pelo efeito obscurecedor de correntes conflitantes, mas existe, assim mesmo escondida, dentro da própria vida. Pode abarcar todas as formas que a vida assume e todas as sus expressões.

Conhecendo a harmonia que há em seu interior, pode também conhecer as desarmonias, como elas surgem, a sua real natureza e suas consequências.

É preciso ter autoconhecimento, pois é o eu que, pela sua própria involução e inversão de toda a perspectiva e visão, barra a verdade e também a luz do interior que conduz à verdade. Olhar através dela é ver através da escuridão e chegar à luz.

A obra *Luz no Caminho* diz que a própria senda, embora se inicie com determinados passos que todos podemos tentar dar, é um caminho que ao final conduz para fora de toda a experiência humana. Conduz a profundidades do Absoluto que não podem ser descritas. As águas da vida una – e nada há senão aquela vida una em manifestação – são as águas que fluem nas várias formas de expressão da vida, anunciando a sua mensagem na medida em que fluem.

11

O MAIS BELO ESTADO DA MENTE E DO CORAÇÃO

Seria um exercício muito interessante para cada um de nós considerar o mais profundamente possível a seguinte questão: "Em qual estado da mente e do coração é mais desejável estarmos?" É a esse estado que finalmente precisamos chegar, por mais que possamos estar ocupados com outras coisas que estejam nos atraindo no momento, pois não poderemos deixar de estar descontentes e agitados enquanto não atingirmos determinado estado interior, no qual há sentido de liberdade e de harmonia, bem como uma efusão espontânea de vida e de alegria. Estaríamos procurando algo diferente ou em maior quantidade daquilo que já possuímos, desconhecendo a real causa do nosso descontentamento. A questão que foi colocada pode ser respondida de formas diferentes, visto ser um estado oniabarcante, abrangendo muitas qualidades, cada qual com sua própria cor e característica, todas tão perfeitamente integradas que podemos descrever aquele estado em termos de uma qualidade ou de outra. Cada uma dessas qualidades tem a sua beleza especial e, portanto, elas podem parecer distintas e diferentes;

porém, na realidade, todas surgem de uma condição subjacente e em última instância fundem-se reciprocamente.

Este mais belo estado do ser — ou da mente e do coração — é algo em que há simultaneamente um sentimento de paz ou repouso e movimento livre e espontâneo. Isso pode parecer paradoxal, mas se torna compreensível quando entendemos que até mesmo enquanto algo vivo se encontra em um estado de repouso, a vida está sempre em movimento. Quando forem naturais os seus movimentos, não importa em que nível, compondo um todo harmonioso, haverá um sentimento de repouso na experiência daquela harmonia. Este sentimento de repouso não é complacência e tampouco uma condição de indolência, que implicaria em indisposição para a mudança, inibindo a possibilidade do movimento livre. Surge do término de todas as atividades compulsivas que criam no ser humano uma condição autoconflitante ou exaltada.

Todos nós devemos ter experimentado em nós mesmos, ou observado em outras pessoas, uma condição que não pode permanecer refreada em si mesma, mas que precisa lançar-se sobre os outros. E encontra alívio ao perturbá-los. Quando a pessoa não sabe o que fazer consigo mesma, automaticamente começa a perturbar uma outra pessoa. Há pessoas que não estão satisfeitas, a menos que sintam que estão criando um impacto sobre outras, ou as influenciando ou meramente por sua fala, ou ainda se projetando de alguma outra forma. Não ficam contentes em permanecer anônimas, mas precisam estar exercitando seus músculos com os outros. Sem pôr um fim a todas essas atividades compulsivas, que surgem de uma insuficiência de um estado incompleto no próprio ser, jamais se pode ter um sentimento de repouso ou paz dentro de si.

A paz que surge do próprio modo de agir e viver, que não se transforma em fastio, não é estática, uma condição como a de uma poça estagnada que não possui meios de limpar-se, porém um profundo sentimento que brota do interior e permeia todo o ser, tão harmonizado em meio aos movimentos que não há interrupção na harmonia e unidade daquele ser. Há, então, no ser uma condição em que cada relação com tudo que for externo não afeta aquele estado. Trata-se de uma relação em liberdade, o que não significa que cada qual segue seu próprio caminho, indiferente ao outro, mas algo no qual a ação que se realiza tem uma natureza totalmente diferente daquela da interação compulsiva. Possui uma qualidade diversa e respira um espírito diferente.

Para que uma relação seja real e dinâmica, e ainda assim livre, deve existir uma condição na pessoa que é como uma corda de violino, tão bem afinada que vibra facilmente, possuindo também uma qualidade ressonante que comunica as vibrações a qualquer meio capaz de ser por elas avivado. A corda nem é tão solta que não haja vibração, tampouco é tão superesticada que apresente uma tendência a um colapso, psicologicamente falando, uma neurose. Uma condição de paz que pulsa no interior da pessoa é apenas compatível com a qualidade da corda bem afinada. A condição frouxa e solta significaria autoinvolução, indiferença e apatia; a corda superesticada representaria o estado febril em que todas as ações são involuntárias, e a pessoa encontra-se a mercê de qualquer evento e circunstância. Liberdade no relacionamento significa que embora se tenha uma relação viva com todas as coisas que nos circundam, não permitimos que elas movam mecanicamente as engrenagens de nossa existência, e a nossa própria ação sobre elas não é uma reação, porém uma livre expressão da natureza do ser interior. Em uma relação desta espécie pode haver tanto liberdade no próprio ser, quanto intimidade de contacto com outras pessoas.

As pessoas que realizam experiências com animais – o que constitui um desses desenvolvimentos modernos que estão totalmente fora de sintonia com a maneira com que o homem deve progredir – analisam diferentes centros cerebrais e o sistema nervoso, aplicando um choque elétrico ou apenas introduzindo uma agulha, e descobrem que cada centro governa a ação de músculos ou órgãos específicos do corpo. Os efeitos produzidos são induzidos por choque ou estímulo. Este sofrimento precisa ser suportado pelo animal submetido à pesquisa, a título – segundo se diz de ampliar as fronteiras do nosso conhecimento. Psicologicamente estamos em uma condição semelhante. Tantos acontecimentos do mundo exterior atuam sobre nós, e reagimos ou com impulsos insignificantes e suprimidos ou violentos e fortes. Tudo isso tem de chegar a um fim antes de que possa instaurar-se uma condição de absoluta paz em nosso interior. O iogue, ou homem espiritual, está em uma condição assim em meio a todos os acontecimentos, pessoas e coisas que possam estar ao seu redor. Mas esta condição de paz não inibe a ação em relação aos outros, e sim dá origem à ação espontânea e que nasce de si, constituindo uma expressão da inteligência e harmonia presentes naquela condição.

É este estado interior, independente de condições externas, que é mencionado nos antigos livros indianos sob o termo de *Vairagya*, geralmente traduzido como imparcialidade ou desapego. As vezes é mencionado como sendo indiferença ao prazer e à dor. A obra *Aos Pés do Mestre* explica o que significa na vida prática a expressão "ausência de desejo". Quando houver esta condição, a relação com todas as coisas muda completamente. Por exemplo, quando se vê algo de que se gosta, que dá prazer, em muitas pessoas surge um desejo instintivo de possuir aquilo. É um instinto cego que opera mecanicamente. No plano psicológico a relação com aquele objeto ata-o à pessoa. Quando se compreende a natureza deste liame, compreende-se também uma condição de ausência de avidez.

Um dos cinco preceitos do Buda, aceitos por todos os budistas, é a não apropriação de qualquer coisa que não pertença legitimamente à pessoa. Este preceito, juntamente com os outros quatro (não matar, abstenção de falar inverdades, de relações sexuais devassas e de bebidas e drogas entorpecentes) foi ensinado a todas as pessoas. Mas aqueles que desejaram seguir a senda do Buda foram além e almejaram um relacionamento universal com todas as pessoas e coisas, livre de qualquer elemento de agressão, logro, luxúria e possessividade. Deveria ser meramente uma relação de boa vontade, interesse solidário e solicitude, sem qualquer desejo que pudesse comprometer esta atitude.

O que não pertence legitimamente a determinada pessoa, não precisa ser apenas a propriedade. Pode-se receber crédito por algo que realmente é devido à outra pessoa ou que apenas surgiu por circunstâncias. Deixando de lado formas grosseiras de roubo ou de apropriação indevida, podem existir maneiras de adquirir coisas que são gratificantes para a pessoa, que ninguém pode questionar, mas que mesmo assim constituem uma violação da lei enunciada neste preceito. Aquele que segue esta lei pode vislumbrar algo interessante ou belo e poderá apreciá-lo e admirá-lo, mas pode fazê-lo sem qualquer desejo de apropriar-se ou de possuir. Na realidade, ou seja, no íntimo do seu coração, o homem verdadeiramente espiritual de fato nada possui, muito embora possa ter posses materiais que o *karma*, a lei da Terra ou das circunstâncias tenha colocado nas suas mãos. Há uma história do Rei Janaka, da mitologia indiana, que era seguidor da senda espiritual, segundo a qual certo dia encontrou um de seus palácios, em chamas. Ele permaneceu imperturbável e disse: "nada do que é meu está queimando". Esta história, que a Dra. Annie Besant gostava de contar, pode apenas fazer parte de uma lenda que se formou em torno de seu nome, mas a sua finalidade foi a de ilustrar a verdade de que em meio às pessoas pode-se estar sem posses. Não é necessário para uma condição de liberdade na pessoa que ela tenha de despojar-se de todos os seus bens e depender de outros para o seu sustento.

Muitas pessoas na Índia fizeram exatamente isso, alcançando simultaneamente duas finalidades que lhes eram gratificantes: uma vida fácil, isenta de responsabilidades, e o crédito pela sua renúncia. Este é um exemplo de como qualquer verdade espiritual é materializada e degradada em dado curso pelas pessoas que a interpretam de modos que atendem às suas conveniências. É completamente inútil renunciar a isto ou àquilo de forma ostensiva, quando tal ato não constitui uma expressão natural do bom senso da pessoa ou de uma compreensão interior dos verdadeiros valores das coisas. É bem sabido que um assim chamado *sannyasi* (a pessoa que renunciou a todas as preocupações mundanas) pode facilmente irritar-se, em consequência de frustrações que enaltecem o sentido de seu próprio ego e importância.

A liberdade de qualquer sentido de posse, não apenas com relação a objetos, mas também a pessoas próximas e ao país e à raça, requer compreensão amadurecida, uma condição de claro *insight*. Quando esta condição existir no coração da pessoa, ela se refletirá na sua vida exterior, trazendo-a a uma ordem maravilhosa, tornando a vida simples, sem supérfluos, e orientando seu fluxo de uma maneira que manifeste a beleza da forma e do espírito interior da pessoa. Os bens que a pessoa de fato possui não têm necessariamente uma correlação com este estado. Os bens são recebidos do *karma* que distribui as responsabilidades de acordo com os atos passados de todos os envolvidos; mas o grau de correção no lidar com as suas posses depende muito do quanto desapegado se está em relação a esses bens.

Vairagya não é a antítese do amor, porém uma autopurificação e uma preparação para ele. Trata-se de preparar o terreno para um amor de natureza extraordinária que a ninguém procura possuir, que nada reclama em troca, nada espera, está disposto a deixar que o objeto de sua afeição encontre seu próprio caminho em liberdade, e está sempre pronto a ajudar quando a ajuda for necessária. É um indivíduo raro, cujo espírito de ausência de apego e de posse aplica-se àqueles a quem ama. Deve também haver o desapego a qualquer espécie de apoio que se possa receber involuntariamente, em virtude de uma relação pessoal ou posição de responsabilidade em que a pessoa porventura possa ter. Querer ser amado é o impulso de um eu que deseja apoio e prazer. Na linguagem de J. Krishnamurti "o amor é a sua própria eternidade". Quando há amor no coração da pessoa, não de um eu que pensa estar amando enquanto quer ser amado, aquela condição será suficiente em si mesma. Indicará a maneira de agir em quaisquer circunstâncias, ou ainda, agirá então à sua própria maneira, e a sua ação estará correta no seu contexto. Pode-se pensar que aquilo que se deve almejar é o amor em ação e não todas aquelas qualificações que indicam o oposto do que aqui se refere, como ausência de apego, de agressão, de dependência e assim por diante. Porém esta é uma visão superficial. O amor, como foi dito em *Aos Pés do Mestre*, é a mais importante de todas as qualificações. Mas amor de que natureza, e como ele surge?

    Quando uma pessoa está apegada a outra e quando alguém, ou algo, surge no caminho do prazer que se deriva, há frustração; surge logo o ressentimento e o ciúme. O apego pode não ser a uma pessoa, mas a algo que se valoriza, alguma posse ou o seu bom nome. Até as circunstâncias podem surgir para causar apreensão, lamento ou ódio. O desejo por posses e sensações cria uma estrutura mental que se expande progressivamente, destruindo a possibilidade de felicidade ou de paz. Pode-se pensar que se está amando, mas este amor pode estar muito condicionado, dependente de vários fatores, até mesmo quando se configura intenso, ao passo que o amor em sua pureza não estabelece quaisquer condições. Não é um atributo do eu, baseado na memória e na expectativa, porém surge de uma natureza de autonegação, na qual, com a ausência do eu, não há qualquer parcela de arrependimento ou sentimento de que se está sacrificando algo a que se dá valor.

    Esta atitude interior de nada exigir e de dependência não significa dar as costas aos outros, ou o endurecimento em um estado de indiferença a qualquer forma de vida, porém pertence ao amor da natureza mais pura, surgindo das fontes mais cristalinas em nosso interior. A ausência de qualquer expectativa que sempre remonta a um sentimento ou uma sensação anteriormente experimentados possibilita o surgimento desta forma de amor, sem qualquer pensamento que o acompanhe que possa viciá-lo ou transformá-lo em formas de um sentimentalismo que revolve na pessoa. Quando houver um estado de mente e coração que independa de qualquer coisa que lhe seja externa para a sua realização, encontra-se em nosso interior a segurança, a alegria e a paz que se procura no exterior.

A busca por segurança surge do temor daquilo que poderá nos acontecer. Mas, em um estado de desapego, não poderá haver este temor. Não pode haver apego a uma condição, até mesmo de mente e coração, em que se experimenta paz e felicidade. Existem algumas criaturas inocentes na natureza, geralmente em lugares remotos, que são atacadas e mortas pelo homem, mas dele se aproximam sem qualquer temor porque não têm a memória dos sofrimentos que lhes foram por ele infligidos. Enfrentam o acontecimento como se fosse a primeira vez. Para nós torna-se possível enfrentarmos com um espírito semelhante a morte e outros eventos que podem ocasionar sofrimento, sem antecipá-los, embora não possamos banir tais acontecimentos do nosso conhecimento, sendo legítimo tomar medidas ou precauções adequadas em relação a eles. É tendência nossa sofrermos desnecessariamente pela antecipação de ocorrências que podem concretizar-se ou não, as quais Shakespeare expressou através destas bem conhecidas palavras: "Os covardes morrem muitas vezes antes de sua morte; os valentes experimentam a morte apenas uma vez." A obtenção de uma estrutura mental que enfrenta os acontecimentos na medida em que se apresentam significa o uso correto da memória, um dos passos da nobre óctupla senda do Buda, possível apenas quando houver memória sem apego.

A condição da ausência do desejo de possuir, a não agressão, a ausência de apego, significam viver em liberdade, em meio às relações com as pessoas e com as coisas, e com a ação que é correta e desinteressada em cada caso específico. É desta liberdade que surgem as qualidades que pertencem à natureza espiritual do homem, não apenas amor, mas também força, sabedoria, beleza, simplicidade, visão interior e muitas outras. Essas são qualidades inerentes em uma condição pristina que precisa ser descrita em termos negativos para ser corretamente compreendida. A menos que esta condição – que constitui uma total negação do eu e de suas atividades – seja entendida, a natureza verdadeira daquilo que dela se origina certamente será mal compreendida. Podemos usar palavras como amor, força, humildade ou sabedoria, mas podemos não compreender a sua real natureza, e é isso o que geralmente acontece. Felizmente há momentos em nossas vidas, nos quais o eu está fora do caminho ou está bastante quieto, muito embora não esteja extinto. A nossa concepção daquilo que é espiritual, tão imperfeita quanto possa ser, baseia-se nas insinuações que vêm naqueles momentos.

  Foi ensinamento do Buda que o eu que parece ser tão real, um centro de tantas compulsões e de temores, desaparece tão logo é visto através, porque é uma criação artificial, um complexo de reações, e não um ser real. Para usarmos a expressão de Sri Krishna no *Bhagavad-Gītā*, não é "uma parcela de Mim", isto é, a natureza divina. Quando desaparece a entidade artificial, que parecia ter em suas mãos todas as rédeas que puxou em várias direções, então se manifesta aquela natureza divina como se surgisse de uma profundidade do não ser ou do nada. É uma natureza que pertence à consciência em sua pureza, imperturbada por quaisquer forças que fluam do passado para o presente, na qual há, portanto, uma condição de absoluta paz e silêncio. A partir deste silêncio, segundo nos diz *A Voz do Silêncio*, surge a voz que transmite a verdade para nossa instrução. O silêncio é obtido em um estado de quietude ou completo repouso, como o sono profundo, no qual desaparecem todas as ideias acumuladas, e existe a possibilidade de uma nova forma de aprendizado. H.P.B. descreve da seguinte maneira esta possibilidade: "Se um homem desejar seguir as pegadas dos filósofos Herméticos... terá de alijar definitivamente toda a lembrança de suas ideias anteriores, sobre tudo e todos. As religiões existentes, o conhecimento e a ciência devem tornar-se novamente para ele um livro em branco como nos dias de sua infância; pois, se deseja ter êxito, terá de aprender um novo alfabeto no regaço da mãe-natureza, e cada letra deste alfabeto abrir-lhe-á uma nova visão, cada sílaba e palavra uma revelação inesperada."

Não é o aprendizado de um instrutor ou de um livro que pode ser transferido para a memória, o depósito do passado. É um aprendizado constante, naquele momento que é o presente, daquilo que a vida está revelando ou dizendo então em toda a parte; significa ouvir a linguagem da natureza que está sempre no presente, não cristalizada no passado. Sem um estado de negação, tal aprendizado não será possível.

Os livros hindus que tratam desses temas não visualizam o objetivo como uma condição de negação e tampouco falam do eu ilusório, embora apliquem a ideia de *Maya* ou ilusão a tudo que é percebido e experimentado através das vestiduras em constante mudança, igualando o Eu, que se encontra no interior dessas vestiduras, à verdade ou realidade absoluta. A palavra "Eu" é usada como uma tradução da palavra sânscrita *Ātman*, não no sentido que implica uma antítese, ou seja, o outro, como se conota uma identidade com aquilo que é, e não com o que passou. O eu, no sentido comum de um eu separado, surge de uma identidade com o seu passado específico, que é diferente daquele de outros eus. A natureza do eu uno é aquela da vida una em seu estado incondicionado, expressando-se assim em suas diversas manifestações.

Muito embora os livros budistas falem do *Nirvana* como o estado final, e os livros hindus falem do Eu uno, que age com a energia positiva que surge daquela condição negativa, ambos referem-se à mesma verdade em seus diferentes aspectos, a fatos fundamentais nos quais as duas visões encontram perfeita reconciliação. *Nirvana*, no seu significado literal, significa extinção, mas como é a extinção do eu, não da vida indestrutível, ou adjetivos usados a seu respeito, especialmente no último período quando as implicações do que foi ensinado floresceram e se transformaram em formas de altruísmo e beleza poética ímpares, tornam claro que não se trata do mero nada em sentido comum, porém de um estado transcendente que se distancia, como os polos do mero nada. De modo semelhante, embora a palavra eu (que pode não ser a melhor palavra a usar) comumente implique separação e conflito, a expressão "Eu uno", que é "uno sem um outro", implica que a vontade ou a energia positiva por ele expressa, embora possa agir através de centros ou canais diferentes, sempre age a partir de uma natureza de unidade sempre indivisa.

Os *Upanishads* formulam a pergunta seguinte: Qual é a natureza do eu? Você forma uma imagem dele em sua mente, oriunda necessariamente de sua experiência, de sua memória. Não é o Eu. Você forma outra imagem. Tampouco o é. Toda a imagem que você formar não é a realidade, não é o Eu. É como um homem cego de nascença, a quem se pede que faça a imagem de um pôr do sol. Não pode fazê-lo. Assim, também os *Upanishads*, embora possam usar a palavra *Ātman*, traduzida como Eu, adotam a abordagem negativa, dizendo não ser isto e nem aquilo.

O positivo e o negativo constituem dois aspectos que existem como uma unidade no campo consciencial em seu estado pristino, não modificado. O negativo é a expansão pura, e é como o espaço sem qualquer objeto em si, vazio porém abrangente, receptivo e responsivo. O positivo é a energia pura que existe potencialmente naquela expansão e que, surgindo do seu interior, assume ou cria diferentes formas que manifestam as suas percepções e inteligência inatas. O Eu Uno, ou a vontade una, surge espontaneamente de momento a momento, a partir de negatividade primordial que, como se reflete em nós, é o estado mais belo do coração e da mente em que podemos estar, o mais feliz e o melhor.

12

O REAL E O IRREAL

Será que a realidade reside em um sentimento que surge do interior, ou em relação às coisas do mundo exterior, ou até mesmo independentemente delas enquanto uma experiência interior, caso isso seja possível; ou será que consiste na real existência daquelas coisas? Se alguma coisa, seja pessoa ou objeto, estiver a minha frente, ou até mesmo me requisitando de alguma forma, e eu não o vejo ou sinto, se não me toca como uma entidade psicológica, então, para mim não será real, não importando o que os outros possam dizer. Contudo, se algo de fato não existe, e eu o imagino, por mais vividamente que o faça, como o fazem frequentemente as pessoas em tratamento psiquiátrico, então a sua existência tampouco será real. Será que isso significa que a realidade reside na experiência subjetiva de coisas objetivas concretas?

Existem tantas coisas ao nosso redor que são suficientemente reais, mas insistimos em procurar uma realidade à parte delas; isto é porque a nossa experiência das coisas, o nosso contato com o mundo ao nosso redor, inclusive todas as pessoas e as coisas, deixam-nos vazios e insatisfeitos. Procuramos algo que preencherá este vazio e o fazemos de várias maneiras.

O fato de que existe este vazio quase que perpétuo indica que há uma barreira ao redor daquilo que somos internamente, que procura a sua própria expressão, porém não consegue atingir um estado completo nesta expressão. Esta barreira nos divide das coisas e das pessoas com as quais estamos fisicamente relacionados, porém, de forma inadequada, do ponto de vista psicológico. A ausência de contato, para exprimir a verdade em termos mais fundamentais, verifica-se entre a natureza de conhecer que está em nosso interior e o objeto do conhecimento, isto é, todas as coisas, e esta relação é insatisfatória. Quando uma relação é íntima e completa, não se procura nada além dela.

Este conhecer não é puramente mental, que constitui uma forma superficial e incompleta de conhecimento. Possui também outros aspectos mais vitais. A mente é o pensador; e o pensar nunca nos traz ao contato íntimo com alguém ou alguma coisa. Na realidade, é uma espécie de jogo de sombras, sendo as sombras as imagens que mantêm distanciada a coisa real. Não se ama com a mente. A capacidade de amar traz muito mais felicidade, dá-nos um senso de realidade muito maior, um sentimento íntimo muito maior, do que o pensamento. Felicidade, beleza, amor, todas elas pertencem a um aspecto diferente da existência do homem, em comparação à mente que conhece apenas as formas das coisas, porém não sua essência.

Usamos a palavra "conhecer" na falta de uma palavra mais abrangente, mas se nela incluirmos todos os aspectos do relacionamento e da resposta psicológica, então é esta natureza do conhecer que constitui o ser subjetivo do homem. De fato, poder-se-ia usar a palavra "sujeito" para denotá-lo, sendo o sujeito distinto do objeto. O sujeito é o conhecedor, o que ama, o ator, aquele que experimenta e que responde. No *Bhagavad-Gitā* há um capítulo intitulado "O Campo e o Conhecedor do Campo", e a palavra Conhecedor é usada para indicar o sujeito.

Se olharmos tudo que podemos observar como objeto, o sujeito estará à parte daqueles objetos. Mas então surgem várias ideias e imagens em nossas mentes. Elas também podem ser observadas, embora, via de regra, não as observemos. Portanto, elas também são o objeto e não o sujeito. O sujeito não pode ser observado. Ele não tem forma e embora possa parecer uma abstração pura, é conhecido pela sua natureza como manifesto em sua ação no campo do pensamento e das emoções, e, seguindo-lhes, no mundo exterior.

Tratando-se do sujeito puro, não envolto em algo com que ele próprio identifica-se em sua ignorância, não modificado, não direcionado, ele vê apenas aquilo que é, aquilo que objetivamente existe no momento em que se vê. Nada há nisso que faça com que veja algo mais. Não pensa que vê aquilo que realmente não existe; não vê algo que forças nele atuantes querem que veja. Em outras palavras, o sujeito incondicionado, que é consciência em sua pureza, percebe apenas a verdade daquilo que *é*. É como um espelho perfeito que reflete com precisão.

Mas o sujeito que opera nesta sala de ignorância e ilusão que é o mundo como tal, a vida humana como está sendo vivida, não é sujeito puro. É um sujeito consideravelmente modificado, limitado pelo cérebro com o qual se identifica, modificado por reações e memórias de cujas redes não se abstrai. Este sujeito que é você e eu, não o homem liberto, porém o homem da continuidade, que ainda está associado com o seu passado, não é capaz da plenitude do conhecimento que acompanha a plenitude da ação, a plenitude do amor. Conhece apenas parcialmente, responde parcialmente. Por isso, a sua relação com todas as pessoas e coisas é parcial e perfunctória. Devido a isso há uma falta de intimidade e proximidade e, assim, de realidade. Como a sua ação não é plena, ela não evoca a sua capacidade plena, não preenche totalmente o seu ser, mas deixa-o relapso, parcialmente inerte e parcialmente em colapso; então existe uma sensação de insuficiência, de vazio, de anseio psicológico, que o torna descontente e agitado.

Esta insatisfação com a sua própria condição faz com que procure satisfação nas maneiras que estão ao seu alcance. Procura mudar a condição exterior, ele próprio permanecendo incompleto. Projeta também imagens de alegria em várias formas a ele conhecidas por experiências anteriores, que espera concretizar. Este ato de projeção é um fenômeno mental importante. Ocorre o tempo todo em nós. A projeção implica a existência de forças que projetam e de imagens fabricadas para projeção, para exteriorização. As imagens são fabricadas da substância da memória. As forças são as forças de atração e de repulsão operando no assim chamado sujeito. Mas o que é projetado é uma produção de um pano de fundo existente. Um católico devoto projetará uma imagem da Virgem Maria. Pode ser extremamente vívida para ele. A intensidade é derivada da precisão e da intensidade das suas reações emocionais. Ele pode reagir com fervor, baseado em uma sensação de total solidão, estendendo os braços, metaforicamente, para abraçar os seus joelhos, procurando sua proteção, ou ele pode reagir com o egoísmo enorme de um sentido de glória que lhe adviria do manto de um profeta que viu aquilo que os outros não viram e que tem uma mensagem de importância para dar-lhes.

Se for um hindu, ele projetará a imagem de Krishna ou Shiva com a tradicional parafernália. Se for um homem do mundo, acostumado aos prazeres sensuais, ele projetará cenas de gozo sensual, enfeitadas em cada detalhe para aguçar seu apetite.

Como Shri Krishna diz no *Gitā*, os seres agem de acordo com a sua natureza. Mas esta natureza que dá origem ao fenômeno da projeção é uma natureza adquirida, "não é a natureza do sujeito puro. A projeção brota de uma entidade de insuficiência e não pode produzir suficiência no que lhe cria. Pode apenas ativar aquela entidade por um período de tempo, como uma memória de um prazer passado pode ativar-se quando relembrada. A base da insuficiência não é a plenitude da natureza do conhecer, ela não é capaz daquele abraço completo e íntimo daquilo que está para ser conhecido, em que, exclusivamente, realiza-se o conhecimento pleno; em outras palavras, a ação total do sujeito puro no qual deve residir a realidade absoluta. Tudo que for menos que o total deve estar distante por falta de estado absoluto e, portanto, deve conter uma lacuna.

Também na nossa vida comum projetamos sonhos e visões que não concretizamos. Shakespeare fala em buscar a reputação do rumor na boca do canhão. Reputação é o que muitas pessoas pensam e dizem durante um determinado período. O caráter de uma pessoa pode ser uma coisa; e a reputação outra. Aquilo que *é*, é tão frequentemente diferente daquilo que se pensa, sejam os outros ou a própria pessoa. Um rumor é um fantasma leviano. Pode exibir as cores do arco-íris, como uma bolha de sabão, enquanto durar, mas inevitavelmente terá que romper-se. Aquilo que procuramos internamente, embora de forma inconsciente, é paz, equilíbrio em nosso ser interior, plenitude, felicidade, realidade, porém não as alcançamos porque não compreendemos a nós mesmos e nos colocamos à caça que não resultará no seu aparecimento. Isso ocorre com tantas coisas que procuramos em ignorância – posição, poder, posses, prazeres e assim por diante. Todos são evanecentes e, quando permanecem, tornam-se gastos e cansativos. A continuação de qualquer coisa tira o fio de seu gozo. Isso indica que na realidade, que é absoluta, que não evanece ou diminui, não existe uma quantidade fundamental daquilo que foi no sentido de causa e efeito; mas sim de momento para momento. Vive-se sempre naquele momento que é o presente, por mais ilusório que possa ser, mas embora a pessoa viva e esteja consciente apenas no presente, pode haver lembranças do passado, porém o passado não precisa influenciá-la, e ela poderá observá-lo apenas para compreender a continuidade lógica dos acontecimentos externos. No presente absoluto, sem a influência da memória, não pode haver tempo, porque o momento que chamamos de presente exclui tanto o passado quanto o futuro. O sujeito ou o conhecedor existe apenas no presente absoluto, porém a sua natureza manifesta-se no tempo como a vida na liberdade, com a plenitude da sua capacidade, sujeito apenas às limitações da forma ou do instrumento que usa. O sujeito, sendo em si mesmo uma abstração, necessita de uma forma para sua manifestação. Mas toda forma é uma limitação; e, se a forma é um corpo físico, poderá apenas funcionar dentro das limitações daquele corpo e do seu cérebro.

    O sujeito pode ser concebido como um ponto adimensional, um centro de ação. Constitui, ao mesmo tempo, uma expansão de consciência, pois esta pode estender-se e abraçar todo um campo ou toda uma imagem ao mesmo tempo, no momento que é o presente. Quando esta consciência confronta o objeto, digamos uma árvore ou um pôr do sol, ela o abraça, e a realidade naquela relação dependeria da profundidade, do dinamismo e da intimidade ali presentes. Intimidade implica contato direto, a ausência de qualquer véu de ideias, de qualquer imagem da árvore, qualquer pensamento a seu respeito. Profundidade significaria profundidade de resposta àquele aspecto da árvore, para o qual tal resposta pode surgir de forma livre e natural, isto é, a beleza da árvore, a alma da árvore, o seu ser interior, a sua contraparte espiritual, a ideia divina que corporifica, embora de forma imperfeita. A profundidade está no sujeito ou na consciência. O dinamismo existiria na capacidade do sujeito, na energia ilimitada da vida da qual é um centro, e de sua livre ação, quando nela nada existe, nenhuma parede a envolvê-lo, criada pelos acúmulos do tempo para restringir aquela liberdade.

O sujeito puro não é o "eu" como nós o encontramos em nosso interior, porque o eu é o produto de reações ocasionadas ou mecânicas, o centro dessas reações. A resposta do sujeito puro não é ocasionada, e sim totalmente livre e espontânea. Onde houver ação livre, haverá o fluxo livre da vida, a alegria da ação. É a ação total de sua natureza pura, de toda a expansão de consciência, ou da atividade da consciência que ela é. Pouco conhecemos desta ação, exceto em raros momentos de felicidade, beleza e amor.

Aquilo que é a natureza do sujeito puro deve ser questão de descoberta de cada um por si mesmo, porém nada pode ser-lhe mais real do que a plenitude de sua própria ação de uma maneira que não deixa nenhuma lacuna, mas torna a totalidade daquela ação absoluta. Conforme disse H. P. Blavatsky em *Isis Sem Véu*, próximo do fim do primeiro volume, é a correta compreensão das coisas objetivas que demonstraria a verdade de que a única realidade está no subjetivo, isto é, na natureza da consciência em sua essência, sua pureza e liberdade.

O irreal pode revestir-se de inumeráveis formas, mas a irrealidade consiste naquilo que é meramente fantasiado ou projetado, naquilo que é percebido, ou respondido de forma imperfeita, em ação imperfeita, na condição ou natureza que dá origem a tudo isso a partir de um mecanismo que foi desenvolvido e o qual corporifica.

O caminho para a realidade, que está na pureza do nosso ser interior ou consciência, consiste em libertá-lo de tudo que tenha sido superposto, da natureza que desenvolvemos, enquanto distinta daquela natureza que eternamente é. Identificamo-nos com tantas coisas, nossos corpos, nossa raça, nossa nacionalidade, nossas propriedades, nossas ideias, nossos hábitos. Precisamos abstrair-nos da identificação com tudo que for externo a nós próprios. A nossa identificação com tudo isso realizou-se gradualmente no tempo. O que passou a existir no tempo pode ser visto através e terminado por nós. Este desimpedimento daquilo que essencialmente somos não é escapismo. É a obtenção de um estado de liberdade e universalidade. Foi chamado o caminho do retorno. É o caminho da alma ou da consciência do homem para o seu estado original, do envolvimento nas coisas de prazer e dor, seus apegos a estas coisas e às ilusões causadas por estes apegos.

13

PRECEITOS DOS GURUS

Parece que há um número apreciável de tratados na língua tibetana relativos à vida religiosa e à senda para o *Nirvana*, como diriam, ou a verdadeira iluminação, que não encontraram o seu caminho no mundo das línguas modernas. Aproximadamente sete destas obras foram reunidas e editadas pelo Sr. W. Y. Evans-Wentz há alguns anos, tendo sido publicadas sob o título *Tibetan Yoga and Secret Doctrines* (*Yoga Tibetana e Doutrinas Secretas*). Ao ler um livro desta natureza nunca se pode estar seguro de que a tradução, muito embora realizada por um estudioso de renomada competência, seja bem precisa. O próprio Sr. Evans-Wentz compreende a dificuldade de se expressar corretamente o pensamento, especialmente sobre temas filosóficos e metafísicos, formulados em uma língua específica, para o idioma e vocabulário de outra, e a *dificuldade* ainda aumenta quando a tradução é de uma língua tão pouco estudada no mundo moderno e tão diferente de outras como é o caso do tibetano.

Uma língua é um meio orgânico e altamente complexo que exprime pensamentos, reações, sentimentos interiores e pontos de vista do povo específico que a usa. Pode haver uma palavra que seja tratada como sinônimo de outra palavra em um idioma diferente, mas podem não ter o mesmo sabor e gosto, associações semelhantes e até não possuir a mesma significação. A melhor forma de agir, quando alguém se depara com uma tradução de um idioma que tem raízes arcaicas, é tentar compreender por si mesmo o que parece querer dizer, e quando determinada afirmação não se configurar muito clara ou inteligível, deve-se deixá-la de lado ou interpretá-la de uma forma plausível e satisfatória para a própria compreensão da pessoa. Poderíamos estar nos distanciando muito se interpretássemos aquilo que é dito em uma língua antiga, que não nos é conhecida, em termos que lhe atribuem um significado inalterável. Um caso que destaca a forma como estudiosos eminentes podem interpretar erroneamente uma palavra é a tradução de *Nirvana* como "aniquilação", que é contrária a todas as descrições da palavra nos livros budistas.

Os tratados que compõem o volume acima mencionado supostamente pertencem à escola budista conhecida como *Mahayana*, que cresce particularmente no Tibete, mas também com variações e em menor proporção na China e no Japão. Mas deve-se lembrar de que no Tibete, bem como naqueles outros países, os conceitos que representam a filosofia budista são muito mesclados com ideias de outras fontes. Uma das características dos ensinamentos budistas é que todos os sujeitos, sejam metafísicos ou psicológicos, dos quais tratam, são analisados de forma minuciosa, sendo agrupados e numerados. O que é discutido é dividido em diferentes categorias e classificado de acordo. Por exemplo, existem as quatro Nobres Verdades, as doze *Nidanas* (as assim chamadas causas interdependentes, processos psicológicos e divisões que constituem a roda da necessidade ou vida e morte em rotação), os cinco *Dhyani Buddhas* e assim por diante.

Um dos textos editados pelo Sr. Evans-Wentz é intitulado *Os Preceitos dos Gurus*, ou instrutores espirituais que apareceram e falaram sobre estes assuntos. Contém vinte e oito categorias, como são chamadas, uma das quais classificada como sendo "as dez causas do pesar". Poder-se-ia perguntar por que exatamente dez e não onze ou nove? É muito difícil que alguém possa determinar quais são as coisas a causar mais lamento ou regozijo. É fácil compilar uma lista, mas isso não será análise. Quando há uma divisão em categorias, títulos ou subtítulos, não se deveria permitir que um cubra o outro. Deveriam ser complementares entre si, como as cores de um espectro, e cada qual deve ter a sua significação individual e precisa. Existe uma outra lista de "Dez Exigências" para trilhar a senda. Existe um terceiro conjunto de dez preceitos que estabelecem "as coisas a serem feitas"; um quarto conjunto, "as dez coisas que devem ser conhecidas"; um quinto, "os treze fracassos lamentáveis" e assim por diante. Os assuntos são todos de natureza tão geral que se pode tentar descobrir o que a própria pessoa colocaria sob os vários títulos, tendo em mente o objetivo subjacente de todos estes preceitos de forma igual, que é a obtenção do verdadeiro conhecimento ou da verdade relevante.

Os preceitos acentuam a importância de uma vida verdadeiramente religiosa. A qualificação "verdadeiramente" é necessária porque o que é indicado não é uma vida em mera conformidade a determinadas regras e disciplinas, à prática de determinadas cerimônias e assim por diante, mas uma vida que pode ser chamada religiosa em um sentido básico. No seu sentido literal, a palavra "religião" possui aproximadamente o mesmo significado que a palavra *Yoga*; é "aquilo que liga", "vincula", e *Yoga* também significa alcançar um estado interior de união entre o humano e o divino, ou o inferior e o superior, transcedendo aos conflitos e às contradições da vida mundana comum que é denominada *Samsāra*, que significa literalmente "dar voltas e voltas".

Visando eliminar estes conflitos, deve-se abandonar os prazeres e as alegrias mundanas. Talvez esta não seja a melhor maneira de expressar o que se pretende porque não há injunção a ser abandonada. Precisa-se compreender que todos os prazeres e alegrias, em qualquer nível, são de uma natureza insidiosa, calculados para prender a mente, a qual, quando neles fica envolvida, torna-se incapaz de desvencilhar-se livremente do encantamento das associações que se nutrem, as memórias dos prazeres usufruídos e as dores experimentadas. E quando se compreende isso, não há necessidade que outra pessoa venha e nos diga que devemos abrir mão disto ou daquilo; a pessoa abrirá mão por sua própria iniciativa do que quer que seja recomendável abrir mão.

Todo ensinamento budista reforça a necessidade de reservar-se em pensamento, em palavra e em ato, de modo que não se possa desviar da direção em que se deve prosseguir. Mas acima de tudo, o que é considerado como o mais importante é um espírito oniabarcante de altruísmo, e o reservar-se deveria girar em torno da preservação deste espírito.

Em sua maior parte os preceitos relatam algo semelhante às observações de homens que chegaram a uma compreensão pessoal das verdades que são expressas, embora existam algumas que parecem ser meramente ditos populares comuns. Considerados como um todo, estes preceitos exprimem a natureza do ensinamento central do *Mahayana* em uma forma que tem uma beleza e um valor próprios, embora outros textos incluídos no volume do Sr. Evans-Wentz abordem práticas que procuram o controle dos processos fisiológicos, e parecem, ao menos à primeira vista, basear-se em noções fantasiosas.

Aqueles que leram a *Voz do Silêncio* saberão que esta obra consiste em três tratados que transmitem a essência do pensamento *Mahayānico* de uma forma muito clara. Estão agrupados em forma de discursos, nos quais o aluno pede orientação e luz ao instrutor, e este fala ao aluno sobre os objetivos da senda, as várias virtudes a serem desenvolvidas, as fraquezas a serem evitadas, e as verdades relacionadas a tudo isso. O instrutor também esclarece que ele pode apenas apontar o caminho, ele não pode conduzir o aluno até o destino pretendido. O aluno terá de usar a sua própria inteligência a cada passo, reunir todas as energias de sua natureza, e aplicar-se seriamente à tarefa. Se fosse meramente uma questão de encontrar um instrutor que conduzisse a pessoa até o objetivo adequado, a dificuldade residiria apenas em encontrar a pessoa certa, e assim o aluno não teria responsabilidade alguma. Mas não é este o caso. O discípulo terá de realizar a viagem por ele próprio, enfrentando todas as dificuldades, guiado pela sua própria compreensão.

De acordo com estes preceitos, das dez coisas a serem feitas uma importante entre elas é o encontro de um instrutor cuja influência de sua personalidade e conhecimento possa ser inestimável, se o aluno dela puder beneficiar-se. Diz-se: "vincule-te a um preceptor religioso dotado de poder espiritual e de sabedoria total." De que maneira podemos encontrar uma pessoa assim? Para começar, deve-se compreender o que significa "poder espiritual". Não é a habilidade de produzir truques fenomênicos ou milagres. A espiritualidade nada tem a ver com tais manipulações psíquicas. A questão então é de como distinguir entre um instrutor falso – e desses deve haver grande variedade – e um verdadeiro. Diz o livro: "para evitar o erro na escolha de um guru, o discípulo precisa ter conhecimento de suas próprias falhas e virtudes". Não significa que você terá de encontrar primeiramente o guru e então ele lhe dirá as suas faltas e os seus méritos. Deve haver uma medida de autopercepção e de discriminação dela resultante, a fim de reconhecer o verdadeiro instrutor quando o encontrarmos, e não ser atraído por alguém que consegue ter seguidores por apelar para suas fraquezas e divertir-se com sua imaturidade.

É fácil imaginar que se possui determinadas virtudes e também minimizar as próprias faltas até mesmo quando as vemos. A tendência seria de desculpar-se dizendo que é humano ter estas falhas, naturais em nosso estágio, não mais as considerando. É precisamente porque as pessoas não querem pôr de lado as suas fraquezas favoritas que elas procuram um Pai celestial que lhes permitiria a indulgência que desejam, salvando-as, finalmente, apesar delas próprias. Quando vemos um erro em outra pessoa, é provável que vejamos através de uma lente de aumento, mas quando encontramos a mesma fraqueza em nós mesmos, somos capazes de olhar para ela por uma ótica diferente. Também aquilo que consideramos como as nossas virtudes não podem ser virtudes, de forma alguma, mas meramente possuir sua aparência. Um ser humano pode ser prestativo e agradável de vários modos, e as pessoas podem pensar muito bem dele por isso, mas se forem procurados os seus motivos, poder-se-á verificar que aquilo que o impulsiona a ser tão agradável e adaptável brota de se autointeresse.

O homem precisa dar-se com as pessoas, possivelmente para finalidades comerciais, ou ele pode estar procurando uma vida fácil; será vantajoso conduzir-se na vida da forma a mais suave e agradável possível. Mas este não é o tipo de amabilidade autêntica. Para sermos genuinamente amáveis e gentis é preciso não ter motivos de vantagem própria. Se o objetivo, até mesmo inconscientemente, for de conquistar a boa opinião de alguém, mesmo se não for para obter vantagens materiais, será o caso de conquistar uma posse para uso próprio.

A mente humana é excessivamente complexa. Conforme H.P. Blavatsky observa no quinto volume da obra *A Doutrina Secreta*, "a mente tem muitos mistérios." Mesmo com a nossa compreensão limitada, podemos perceber como são complexas as suas engrenagens, e como é fácil autoiludir-se. Podem ter-nos dito quando éramos crianças que não devíamos enganar os outros, mas constantemente enganamos a nós próprios. Enquanto assim fizermos, seguiremos caminhos que enganam os outros. Toda a tendência para a frustração, para aceitar ilusões prazerosas, precisa ser extirpada da pessoa se há o interesse em ser cada vez mais verdadeiro.

Existem algumas outras sugestões com relação à escolha de um guru: "evite um guru cujo coração está direcionado para a fama e as posses mundanas. Charlatães podem ser erroneamente tomados por sábios". Há na Índia e atualmente também no Ocidente, vários assim chamados gurus, cujo objetivo é de ter uma grande clientela de admiradores e bajuladores que talvez os sustentem financeiramente, e que de qualquer forma lhes deem a importância que desejam.

Juntamente com a orientação quanto à escolha do guru, ao eventual aluno é ordenado que "estude os ensinamentos de todos os grandes sábios, de todas as seitas, de maneira imparcial". A palavra "seita" significa aqui escola de pensamento. É bastante raro nos ensinamentos religiosos encontrar orientação que deixa a pessoa tão livre a ponto de alcançar a sua própria compreensão. Aqueles que são verdadeiramente os "grandes sábios" não pertencem a nenhuma seita ou organização particular, muito embora após morrerem invariavelmente passem a ser identificados com uma seita ou religião que lhes leva o nome, e a verdade que declararam passa a confundir-se com noções de outras espécies. Deve-se considerar os ensinamentos de todas as escolas com uma mente totalmente aberta, sem entregar-se a qualquer uma delas, se o objetivo básico é a obtenção da verdade.

Os livros budistas enfatizam a necessidade de vigilância sobre os próprios pensamentos, emoções e atos, incluindo a fala, porque, do contrário, pode-se ser carregado pela torrente de um impulso momentâneo. Tal observância é extremamente árdua, mas não se pode ficar em um estado de alerta todo o tempo; o cérebro e o corpo ficam cansados, e então aqueles impulsos da natureza da pessoa, que operam mecanicamente, são capazes de encontrar saída, de modo que antes que se possa ver o que está acontecendo, já se cedeu a alguma coisa, talvez a determinados pensamentos que não são desejáveis. Assim, é preciso aprender a estar alerta e ao mesmo tempo descontraído. A pessoa conseguirá isso se não estiver demasiado ansiosa para obter resultados.

Diz-se ao aluno: "observância incessante e estado mental de alerta agraciados com humildade são necessários para manter o corpo, a fala e a mente limpos do mal." Quando a mente for rápida e prontamente obtiver conclusões, está-se passível de ser, por vezes demasiado positivo e até mesmo dogmático. Uma pessoa obtusa também pode ser bastante assertiva quando provocada. Quando se é rápido no pensar, atendo-se avidamente àquilo que se considera ser a verdade, geralmente não se para para examinar o assunto ou considerar a possibilidade de outros pontos de vista além do próprio, e a tendência será de avançar as próprias ideias como se não estivessem abertas a questionamentos. Assim, a expressão "agraciados com a humildade" e especialmente apropriada pois indica a qualidade que deveria existir no estado de alerta. Em todas as religiões, a humildade é vista como uma virtude fundamental. Não é uma exigência secundária, e sim básica. Se uma pessoa possui a qualidade da humildade, acompanhada pelo estado de alerta, a composição criaria nela o temperamento correto. A humildade não consiste em promulgar ou lamentar-se da própria significância. Isto pode ser feito, lançando-se um véu sobre a presunção. A obra *A Voz do Silêncio* diz: "seja humilde se quiseres alcançar a sabedoria." A humildade é uma qualificação necessária porque sem ela não é possível para um homem ser realmente sábio. Ele pode ser instruído e ao mesmo tempo não ser sábio, um obtuso ou até mesmo um tolo. Tampouco consiste a humildade em exibir uma forma de comportamento; é uma condição de existência da mente e do coração. Seguem-se então as palavras: "seja mais humilde ainda quando tiveres obtido a sabedoria". A palavra "sabedoria" é aqui usada no sentido de conhecimento de determinadas verdades essenciais ou leis para viver a vida de forma correta. Domina-se algo que é diferente e à parte de si, isto é, algo objetivo ao conhecedor. O objetivo principal ao observar os pensamentos e as reações é de descobrir aquilo que está certo e aquilo que está errado com relação a eles.

Este estado da mente e do coração que é alerta, porém humilde, precisa ser permeado por um espírito de compaixão ou amor, que é uma luz que pertence à natureza mais recôndita da consciência. Sempre que no pensamento nos afastamos daquela atitude ou espírito, precisamos imediatamente tornar-nos alertas para este fato. Assim, os preceitos dizem: "a mente imbuída de amor e compaixão em ato e pensamento deve estar sempre dirigida ao serviço de todos os seres sencientes". Na obra *Ocultismo Prático*, H. P. Blavatsky diz que: "ocultismo é altruísmo em primeiro e último lugar" Esta tônica de altruísmo impregna todo o pensamento *Mahayānico*.

A observação dos próprios pensamentos e reações é uma forma de meditação em que se estuda a verdadeira natureza da mente e seu estado, em que se olha nela profundamente para descobrir-lhe motivos e forças ocultas, alcançando assim a autocompreensão integral. É disso que H.P.B. fala em diferentes termos quando ela se refere ao estudo da natureza inferior à luz da superior. A mente e as emoções precisam ser estudadas com objetividade absoluta, e tratadas como se separadas da pessoa. Isso é muito mais difícil do que retirar um pensamento de um livro ou selecionar alguma virtude e revolvê-la na mente, embora isso também seja bom, especialmente como um começo ou uma base para um esforço maior. É bom concentrar-se e contemplar a verdade mesmo como a conhecemos, enquanto exploramos ou descobrimos as engrenagens da nossa própria mente. O que é errado é compreendido simultaneamente ou em relação àquilo que é certo, da mesma maneira como aquilo que é belo é percebido em relação àquilo que não o é.

Durante o tempo em que se tenta meditar, surgem várias ideias e elas também surgem em outras ocasiões. Mas o aluno terá que, por fim, alcançar um estado mental que é desimpedido de todas as ideias e no qual a mente descansa em sua própria natureza verdadeira. Como ela poderá ficar desprovida de todas as ideias? Quando surge uma ideia, é possível colocá-la completamente de lado? Cada pensamento que é violentamente lançado retorna após um período de tempo. Existem inumeráveis ideias que surgem: colocá-las de lado é como lutar contra um exército que consiste em um número de pessoas sem fim. A maneira de lidar com esta situação é compreender determinadas verdades fundamentalmente, de maneira que haja um clima diferente, uma atmosfera diferente no próprio ser, na qual se percebe claramente aquilo que é certo e verdadeiramente desejável. É dito que todas as ideias surgem de uma concatenação de causas; são todas produto de ideias precedentes, uma continuação delas. Podem assumir diferentes roupagens em diferentes contextos, mas fundamentalmente possuem a mesma natureza que os seus ancestrais. A maioria delas é realmente uma repetição da própria memória. A mente precisa libertar-se deste automatismo de memórias para que possa agir de modo inteligente com entendimento real.

    Pode-se imaginar com facilidade que a mente torna-se vazia quando está meramente imobilizada. Pode haver um quarto com objetos por todos os lados, mas pode parecer vazio se seu ocupante estiver tão inerte quanto a sua cama. Mas se acontece de algum incidente perturbá-lo, ele reage da maneira usual. Embora lentas, as suas reações exprimiriam apenas ideias tão firmemente incrustadas na sua mente que delas não tem consciência. Não é esse tipo de vazio que se deve desejar. O vazio da consciência é como o vazio de um tambor sensível, capaz de produzir ritmos de diferentes qualidades e com vários graus de ressonância. A mente que é inconsciente daquilo que absorveu em si pode parecer vazia, mas seria meramente inerte, à semelhança de uma jiboia que engoliu mais do que pode digerir. No jargão do psicólogo moderno trata-se em grande parte da mente inconsciente, cujas energias movem-se de forma obscura e rompem no exterior apenas quando algum tipo de pressão tiver sido criada ou quando alguma emoção precisar urgentemente ser externada.

O vazio da mente implica liberdade de toda espécie de carga ou preocupação. Significa também liberdade de apegos e repulsões, e, portanto, representa uma condição de tranquilidade. É apenas em uma condição assim que se pode lidar eficazmente até mesmo com os problemas comuns de nossas vidas ou perceber o significado real das coisas que nos acontecem. Uma mente que é realmente vazia, não apenas é desnudada de todo conteúdo, mas ela nada retém mesmo em uma forma de solução; nada colore a sua natureza pura e intrínseca. Naquela natureza que não foi modificada pela experiência prévia não há padrão nem sulcos formados. O hábito tem o seu lugar e valor. Se tivéssemos que pensar acerca de tudo que precisamos fazer, incluindo os vários atos físicos de nossa vida diária, a vida tornar-se-ia impossível. É bom que as coisas que precisamos fazer com rotina sejam entregues ao automatismo da mente e do corpo ou aos seus instintos. Mas a mente deveria estar consciente desse automatismo e não se tornar uma escrava de qualquer processo automático que determine o seu pensamento e sentimentos.

Quando se fala de um hábito de pensamento, inclusive as emoções, o que se gosta ou não, o que age é uma determinada formação que veio a instalar-se na mente, porém, para estar em um estado de liberdade, ela precisa estar vazia de todas as formações, e também purgada de todas as impurezas que desfiguram sua textura. Quando a mente estiver totalmente pura, liberta de qualquer superposição de algo que ela considera erroneamente como sua verdadeira natureza, ela passa a ser *Manas* de fato. A palavra inglesa *mind*, é apenas uma tradução grosseira de *Manas* que é como um raio de luz pura que incide sobre as coisas e torna sua presença e natureza conhecidas. Também foi considerado como uma espécie de fogo, pois é uma corrente de energia. Se *Manas* é um raio de luz e ao mesmo tempo uma corrente pura de energia, então, ele realmente não tem forma; não é uma formação que veio à existência no curso do tempo, como as nossas mentes que estão abarrotadas de ideias que foram absorvidas e desenvolveram maneiras e hábitos baseados em variadas reações passadas. Uma mente assim é de fato um amálgama que veio à existência, formado por várias forças como inveja, luxúria, ódio, avidez e assim por diante, que fragmentam a integridade de sua natureza original.

 É dito em um desses preceitos que "a mente de todos os seres sencientes é inseparável da mente una." "Todos os seres sencientes" significam não apenas os homens, mas também os animais, aves e todas as outras criaturas por mais inferiores e insignificantes. Se, ao invés da palavra mente for usada a palavra *Manas*, poderemos compreender que é a mesma luz que está presente como um raio em cada pessoa individual, em um pardal, e na menor das formigas. O raio pode ser brilhante ou fraco; poderá iluminar um campo extenso ou apenas um minúsculo ponto. A luz é a luz inerente da consciência, denominada *Buddhi*, enquanto distinta do raio que incide nas coisas específicas, e se move por entre elas. *Buddhi*, segundo se diz, é imaculável porque permanece desapegado. Exprime a natureza essencial da consciência, sua sensibilidade e unidade, não aquela natureza que manifesta quando é modificada de formas diferentes. Por ser sem apego nada contém e não tem forma. A sua natureza é diferente daquela de uma mente cheia de conteúdos de tipos diferentes. Aquilo que a mente contém ou possui é continuado no tempo, mas se a mente puder alcançar um estado desprovido de conteúdo, ela passa a ser uma atividade da consciência em sua natureza atemporal e original, e integrada a *Buddhi* sempre sem marcas e puro.

    Existem vários preceitos que começam da seguinte forma: "É uma grande alegria compreender...", por exemplo, um dos preceitos diz: "É uma grande alegria compreender que o caminho para a liberdade seguido por todos os Budas é para sempre existente, jamais é modificiado e está sempre aberto àqueles que estão prontos para nele ingressar." Não se faz referência ao tipo comum de alegria, alegria efêmera que brota de uma excitação temporária, que dá origem a anseios e é acompanhada por reações. Mas trata-se aqui de uma alegria que nasce de dentro. Existem determinadas compreensões, que são tão profundas em sua natureza que preenchem o ser, tocando-o em seu fundo mais recôndito, e a alegria surge daquela base pura como água fresca de uma fonte. Não é alegria produzida por quaisquer condições externas. Algumas dessas compreensões soam doutrinárias, mas referem-se a estados de existência que podem ser denominados espirituais ou divinos. Por exemplo, é feita referência ao estado de "*Dharmakaya*, no qual mente e matéria são inseparáveis", "*Sambhoga-Kaya*, o autoemanado, para quem não existe nascimento, morte, transição ou qualquer mudança", e também ao "*Nirrnana-Kaya*, autoemanado e divino, em quem não existe sentimento de dualidade". Estas são três formas da mônada divina, ou da individualidade espiritual, e elas são referidas geralmente como as três vestiduras do Buda, porque representam três estados de seu ser, a sua consciência em três níveis diferentes.

É dito que "na mente primordial", ou seja, a expansão original da consciência, que é subjacente à mente de todo ser individual, "não existe processo perturbador do pensamento". A natureza desta mente, que é *Buddhi* e *Manas* em um, reflete-se naqueles que alcançaram um estado interior que pode ser considerado perfeito do ponto de vista humano, os Adeptos da literatura teosófica, os *Mahatmas* (grandas almas) de fato. A Dra. Annie Besant assemelhou a consciência de um Adepto quando está em repouso a um oceano tranquilo que recebe a luz do luar, isto é, há uma luz suave que emana do interior e faz com que toda a consciência resplandeça, mesmo quando em repouso ela está cheia de vida, quiescente e brilhante. Esta é a condição interior daquele que atingiu o domínio completo sobre si mesmo.

Seria necessário meditar sobre essas verdades a sós, compreendendo-as por si mesmo. A solidão não significa necessariamente solidão física, embora ela possa ajudar. Significa estar só no coração. Conta-se a respeito de Maria, a mãe de Jesus, que ela "ponderou estas coisas em seu coração". Deveria se meditar sobre estas verdades que parecem relevantes, lembrando-se que a meditação não pode ser separada da vida.

Tudo isso é extremamente interessante e prático, não apenas metafísico ou filosófico no sentido de dialética remota de nossas vidas, obrigações e interesses. Indica a melhor forma de viver.

14

AS TRÊS SENDAS EM UMA

É uma visão religiosa amplamente aceita, entre aqueles que cresceram na tradição religiosa indiana, a de que existem três sendas que conduzem à meta mais elevada para o homem, o mais elevado estado de existência que ele pode atingir, podendo escolher e seguir qualquer uma delas. São tidas como as sendas de Sabedoria, Ação e Devoção. Cada uma delas é descrita como um tipo de *Yoga*. Mas, quando olhamos para os fatos básicos relativos a esses três tipos de disciplina, como poderiam ser denominadas, compreendemos que, na realidade, não pode existir uma separação tão clara entre elas como pode parecer existir a primeira vista. Há também outros aspectos do *Yoga* que são abordados no *Gitā*, como o *Yoga* da Renúncia. Na verdade, todos os dezoito capítulos naquele livro são denominados *Yoga* de um ou outro tipo. Um deles é denominado "O Campo e o Conhecedor do Campo". Por que é chamado *Yoga*? O campo é o objeto do conhecimento ou a soma total desses objetos, seja o universo ou uma parte do universo, e há o conhecedor do campo presente no próprio campo ou fora dele. Há também o campo da consciência individual da pessoa. Obviamente a verdade com relação a eles é integrada sob o título de *Yoga* porque se torna necessário mantê-la em mente, sendo o *Yoga* um estado de compreensão. O entendimento desta verdade constitui parte essencial da sabedoria. Se é essencial conhecê-la para ser sábio, precisamos possuir aquele conhecimento. Isto indica que todas as assim chamadas sendas diferentes se fundem em uma só. As qualidades descritas como pertencentes a qualquer uma delas são qualidades necessárias à perfeição de todas elas.

Consideremos o que significa a ação e o que ela implica. Uma pessoa pode estar excessivamente ativa na busca de algum objeto a que se dedica. Ela pode continuar de ano para ano, mas sentir, ao final daqueles anos, que não alcançou nada de importante, que aquilo que fez não é senão uma gota no oceano. Pode até ter dentro de si um sentimento de frustração e descontentamento, mas se a ação for da qualidade certa, não deveria dar origem a um sentimento assim; o sentimento surge porque a ação foi amplamente superficial, formal ou mecânica.

Isso é o que o *Yoga* da ação pode tornar-se se não for corretamente compreendido, dando voltas e voltas, fazendo as mesmas coisas de sempre, talvez nem mesmo melhor do que no princípio, porque na medida em que continuamos, a tendência é de ficamos mais cansados; precisamos forçar-nos para realizar o que quer que precise ser feito e não temos mais o deleite e a intensidade originais. Quando a ação torna-se mecânica, ela perde a sua graça, tornando-se destituída de vida e extremamente limitada em seus efeitos. Tal ação, embora pareça altruísta ou vinculada a uma finalidade nobre, pode ser egoísta de forma sutil ou até mesmo gritante. Enquanto a pessoa sentir-se importante no trabalho, estará em condições de entusiasmar-se e demonstrar uma energia extrema.

Todos ao seu redor podem dizer "Que bom trabalhador, ele não se poupa", mas por trás da sua ação pode haver o tempo todo um sentimento sutil de autoimportância, o sentimento "como eu faço bem estas coisas, não há mais ninguém que possa fazê-las tão bem." Tal sentimento pode estar oculto no fundo da mente e manter a pessoa em ação, mas quando ela não mais tiver a posição que ocupara, o seu entusiamo cederá e ela poderá até mesmo sentir-se completamente perdida sem aquela posição. O seu entusiasmo dependeu evidentemente do fato de ter a posição, de ter a sensação de ser o trabalho o mais importante de todos. Precisamos conscientizar-nos dessas falhas em nossa própria mentalidade, eliminando-as a fim de trabalharmos realmente bem, eficazes do ponto de vista dos resultados, visíveis e invisíveis, que a nossa ação produz.

O ensinamento no *Gitā* é ação sem desejo pelos seus frutos. Se você não deseja o fruto de sua ação, nem mesmo o seu êxito, então por que a ação deveria ser realizada, qual é o impulso ou o motivo por trás disso? Deve ser a ação pelo que significa em si mesma, porque você considera certo realizá-la; a sua realização tem o seu valor próprio; não importa se é coroada de êxito imediato ou não. É um indivíduo extremamente raro aquele que pode agir com grande intensidade, força e entusiasmo sem nada desejar para si próprio, nem dinheiro, posição, elogio, nem mesmo qualquer gratificação secreta que se pode sentir como uma reação interna à habilidade demonstrada.

O desempenho da ação, por ser certo, bom e desejável, implica a presença de um sentido interior que guia a pessoa em sua direção. A sabedoria é então necessária para guiar a pessoa. Alguém pode dizer com alguma satisfação "eu faço isto como meu dever." Mas será realmente o seu dever, ou apenas uma noção convencional que tem daquilo que deveria fazer, encontrando-se em sua posição? Possivelmente ela acha que se não o fizer, perderá estima perante os outros. Se aquilo que é chamado de dever for realizado com má vontade, com um sentimento de obrigação, então, aquela ação não possui graça. Uma pessoa pode ter que cuidar de um paciente, estar desperta a todas as horas da noite para atender a diferentes necessidades físicas, mas se a pessoa realiza tudo isso com um sentimento de necessidade amarga que pode até mesmo gerar animosidade, não podemos dizer que esta ação tem a qualidade certa.

É apenas a ação que é prestada livre e sinceramente que é verdadeiramente bela. Age-se desta maneira quando há amor e, então, será ação com todo o ser da pessoa e não apenas uma parte daquele ser. A ação não consiste apenas em atos específicos, visíveis, como realizar alguma tarefa ou uma cerimônia religiosa, atendendo aos seus vários pontos; isso passa a ser apenas um procedimento. Todas as expressões da vida em qualquer nível são ação, uma verdade que precisa ser compreendida para que se possa ver o quadro completamente. Pensamento e ação; quando se medita, isto é ação; e, como aponta J. Krishnamurti, ouvir com total atenção também é ação.

Toda a ação que pertence à vida em qualquer um de seus aspectos possui uma importância que se origina de sua própria natureza, possui a sua própria significação. No amor, que é um estado de ser altamente sensível e completo, há ação de grande intensidade. Quando há tal amor, toda a natureza da pessoa estará no seu mais alto ponto de sensibilidade e haverá também um sentimento de plenitude em seu ser. A ação do todo do ser no amor é como a ação dos raios ultravioletas que podem não ser vistos em uma tela como vemos as cores comuns do espectro, mas sabemos por investigações científicas que esses raios intensos e poderosos existem.

A sabedoria, que é essencial para a ação certa, não reside no mero conhecimento. Pode-se abarrotar a cabeça com vários fatos, como os que são fornecidos em uma enciclopédia, mas isso não tornará o homem sábio. O conhecimento é dos fatos, que são coisas presentes, embora possa também ser confundido com várias ideias que se formam. A maneira como se responde aos fatos determinará se alguém é sábio ou não. O tipo de resposta depende amplamente dos interesses. Pode-se olhar para uma bela pedra preciosa que possui cor, brilho e outras qualidades especiais. Uma determinada imagem dela forma-se então na mente. A pedra existe como algo presente, mas a resposta para aquela imagem está na mente. Pode ser pura apreciação de sua beleza e qualidades, ou pode tomar a forma: "Eu gostaria de possuí-la." A natureza da resposta é bastante diferente nesses dois casos. Tudo que um comerciante de joias pode pensar é o seguinte: "Onde posso obtê-las? Como posso vendê-las?" Mas se a pessoa for um químico, ela teria apenas interesse em analisar sua composição; ou se fosse geólogo, teria apenas satisfação em saber como a pedra formou-se nas entranhas da terra. A maneira como a pessoa responde internamente a um fato determina se é realmente sábia ou não, mesmo separada daquilo que pode ou não fazer externamente em relação ao assunto.

A mera posse de ideias, ou até mesmo de conhecimento, é uma condição estática de existência, ao passo que a vida é sempre um fluxo, um movimento. Se não houver aquele fluxo, se a pessoa não estiver agindo de alguma maneira, isto significa que há uma condição de bloqueio ou inibição. Por que a pessoa não age, quando há necessidade de ação? Ela pode estar tão viciada em seu próprio conforto físico ou mental, que não goste de ser nele interrompida. Ela então provavelmente dirá: "Há outras pessoas para fazê-lo." Se for um homem instruído, satisfeito com seu conhecimento, poderá achar que o seu *dharma* ali reside. Ou outras razões podem ser inventadas para não agir. Se não agirmos quando a ação é exigida, falta-nos percepção ou estamos impedidos por obstáculos, em nossa própria natureza, da ação que deveria naturalmente suceder. Se alguém está enfermo em casa e necessita de auxílio, qualquer pessoa em um estado mental sadio tomará imediatamente a medida necessária e não precisará ser incitada a fazê-lo por ninguém. Age-se porque a ação está correta, e ela se realiza de modo fácil e natural.

A vida está sempre em ação e precisa haver ação em um nível ou outro para o seu fluxo natural. O estado verdadeiramente feliz é aquele em que há este fluxo não apenas no nível físico, mas em todos os níveis, e há níveis sobre os quais pouco conhecemos. Escrever e falar são ação. Pensar, quando surge de uma determinada condição interior, pode ser uma forma do livre fluxo da vida como qualquer outra. Um determinado tipo de sentimento, sem pensamento, não se originando do eu, pode ser uma das mais belas expressões da vida. O que quer que externamente possa revestir-se da forma de ação de alguém, é a condição interior do que exprime que lhe dá sua significação mais profunda.

A vida precisa fluir todo o tempo, mas na forma da sabedoria, não da insensatez. Aprende-se a ser sábio apenas quando se age, com percepção e inteligência, e não mecanicamente.

Fazer uma coisa porque se adquiriu o hábito de fazê-la é algo mecânico, porque então serão as forças na própria natureza da pessoa, os elementais ou as *gunas*, para usarmos a palavra do *Gitā*, que agem e não a inteligência livre da pessoa, sendo ela sábia por si mesma ou podendo adquirir sabedoria. Ação sem sabedoria é insensatez, porém sabedoria sem ação é apenas uma pseudossabedoria, um substituto insatisfatório e artificial.

Um homem cuja ação possui a qualidade da sabedoria pode não agir da maneira com que outros estão agindo. Pode até mesmo não estar agindo para todos os efeitos de aparência exterior. Mesmo assim haverá internamente nele aquela condição que existiria se ele agisse também externamente. Se a ação da pessoa toma a forma de aprendizado ou de escuta, o estado da mente e do coração em que aquela ação se realiza teria toda a vitalidade, cintilação e prontidão a responder, que existiria se ela estivesse agindo fisicamente com todas as suas faculdades a seu comando. Não podemos separar a sabedoria da ação em *qualquer* nível, visto que uma requer a outra e elas fluem como uma única corrente.

Tanto a sabedoria quanto a ação que é bela e correta têm como base comum a qualidade do amor. Falamos da devoção como uma senda, mas com frequência não do amor, embora no *Gitā*, Shri Krishna fale de amabilidade e compaixão como marcas de um devoto. A base da devoção, quando não estiver em busca do eu, pode apenas ser amor. Não é lealdade com a finalidade de algum ganho ou recompensa, seja formulada de forma definida na mente da pessoa ou apenas subconscientemente presente. As pessoas são capazes de pensar que lealdade e devoção são essencialmente a mesma coisa. Por que alguém é leal para com uma pessoa ou causa? Lealdade é uma atitude da mente e pode-se adquirir uma atitude. O que a produz é frequentemente a expectativa de algum benefício, tangível ou intangível.

Um homem de inclinação religiosa concentra-se no objeto específico de sua devoção, frequentemente com a ideia de receber determinadas bênçãos que possam protegê-lo do infortúnio, e auxiliá-lo neste mundo e no próximo. É lealdade por uma consideração. O elemento de expectativa existe na devoção da maioria das pessoas, embora elas a princípio possam não estar conscientes disso. A entrega absoluta ao Senhor é mencionada nos livros como a máxima devoção, mas em tantos casos há o sentimento que se toma, então, responsabilidade do Senhor receber sobre si o fardo e cuidar da pessoa. Tal entrega é frequentemente uma mera declaração, um ato mental, embora possa ser devida a fortes emoções pessoais. Mas se a entrega do ser for total, não pode existir ao mesmo tempo um eu com a sua identidade separada cuidando de si mesmo. Não pode haver uma entrega do próprio ser ou de todo o seu coração, seja no amor ou na devoção, enquanto houver um eu que possui quaisquer reservas ou reivindicações.

O coração pode apenas entregar-se àquilo que, na própria natureza das coisas, for capaz de atraí-lo, sendo internamente com ele relacionado. Tal entrega, quando for absoluta e não qualificada, representa um máximo estado de existência. Portanto, para o pequeno e insignificante eu dizer prematuramente que entregou tudo, constitui um extraordinário encobrimento do estado real. Precisa haver renúncia total do eu antes que o amor ou a devoção possam aflorar em toda a sua glória e beleza. Tal renúncia abre o coração para o Divino em tudo, não apenas para uma figura ou forma específica. Então não se fala do seu amor porque não há nenhum eu à parte do amor que se dá.

Existe o ditado cristão: "Quem servirá a Deus em troca de nada?", isto é, sem pedir alguma coisa. São raras essas pessoas. Normalmente Deus é considerado como o doador de proteção, o concessor de bênçãos e a nascente dos favores. Como nada podemos dar-Lhe senão louvor e obediência, achamos que esta é a maneira para obter a Sua generosidade. Assim, Deus é tratado como qualquer potentado terreno. Quando Shri Krishna diz, "abandonai todas as preocupações", ele fala das preocupações do eu pessoal. Quando ele diz "refugiai-te em mim", ele fala como o Logos no homem, ou nas palavras de São Paulo, "o Cristo em ti". Refugiar-se significa entregar-se àquela natureza Divina que Ele representa, também à natureza do próprio Eu Superior, unificando-se com ela. A menos que haja compreensão de suas palavras neste sentido, não apenas deixaremos de perceber a beleza daquele estado interior que ele apresenta, mas na realidade perverteremos seu significado. O que é intitulado devoção torna-se apenas um cogumelo rançoso que deseja ser um lírio e está a mundos de distância daquela realidade transcendente que é mais gloriosa do que a beleza de qualquer espécie concebida pela mente do homem.

Shri Krishna enumera extensamente as marcas características de um verdadeiro devoto: "Igual para o amigo e o inimigo, na honra e na desonra, amável e cheio de compaixão" e assim por diante. Essas palavras representam um estado de existência em que tudo que há de mais belo em alguém passa a florescer. É uma condição de amor, não enraizado no eu, em que nada se procura, não há expectativa, há apenas doação, uma condição em que toda a beleza que se pode imaginar, ou ainda, uma beleza que não se pode imaginar, aparece por si mesma.

Verdadeira devoção é amor impregnado de amabilidade das qualidades no objeto da devoção. Este objeto pode apenas ser uma imagem na mente, portanto imperfeita, mas personificando toda a nobreza, força, beleza e compaixão que se pode conceber; há então a resposta às qualidades associadas com a imagem. A resposta que surge das profundidades do coração da pessoa é devoção, seja aquela imagem chamada de Krishna, Cristo ou qualquer outro nome. O nome carrega associações que, desde que se harmonizem com a natureza da imagem, podem apenas acrescentar tons e nuanças à harmonia total da resposta. Assim um conceito de Shiva, um elemento da Trindade Indiana, pode trazer consigo um sentimento de pureza austera, de estar só em pensamento e meditação, e concentração de espiritualidade; tudo isso dará um colorido à devoção que se percebe no sentido da realidade simbolizada pela imagem. Se for Shri Krishna, o Cristo, ou o Buda que são apresentados, outros atributos irão colorir as energias da resposta. De qualquer maneira, a resposta precisa surgir da pureza do coração, sem qualquer elemento de desejo pessoal ou de busca do eu para que possa ser chamado amor ou devoção.

Sem amor não pode haver aquela plenitude de ação que surge das profundezas, mas apenas ação parcial. Sem aquela plenitude em que todo o ser participa não pode haver o florescimento daquela natureza intocada e indomada no interior da pessoa, que é a natureza espiritual. Quando ela aflora, traz consigo uma beleza excepcional que encontra expressão em todas as ações da pessoa, no seu pensar e sentir. A sua ação é muito diferente daquilo que chamamos ação. É porque aqueles em quem esta natureza está em plena atividade, os Seres Libertos, podem compartilhar a sua influência, beleza e poder com outros seres humanos de forma para nós desconhecidas; permanecem na maior parte do tempo ao largo dos meandros do mundo onde pouco podem fazer de importância e valor comparáveis.

  Esta natureza a ser chamada espiritual é muito distanciada dos caminhos e ideias do mundo; não é um produto ou criação do mundo. É algo ímpar e à parte que se manifesta apenas quando todo o mundo acredita, busca e realça o que for renunciado, não externamente ou de forma ostensiva, porém de uma maneira interior e total no coração. Pode-se estar no mundo, mas a ele não pertencer. Em uma das cartas do *Mahatmas* há o seguinte apelo: "Vinde de vosso mundo para o nosso." Isso não significa que se deve ir para o Tibete, para os Himalaias, para os Andes ou algum outro local distante. Isso seria compreender as palavras "segundo a letra que mata o espírito". As palavras significam deixar de ser uma criatura do mundo, seguindo os seus objetivos e vivendo uma vida de altruísmo puro, baseado na verdade e não em fantasias e ilusões. É possível viver uma vida assim, permanecendo no mundo. O que é espiritual pertence a uma natureza que não é deste mundo, e é uma natureza de sabedoria, de ação e de amor, como compreendida do ponto de vista do Espírito.

  Renunciar a todo elemento mundano em nossas naturezas constitui o *Yoga* da renúncia de que Shri Krishna nos fala. Às vezes uma pessoa pensa que renunciou enquanto que toda a sua ação é uma espécie de dramatização que mostra que ela está apenas bajulando-se a si mesma. Ela se sente diferente dos outros, o que faz com que aumente sua própria estima. Quando se encontra em seu próprio ápice artificial, pode viver sem a opinião favorável dos outros. Mas não é esta a renúncia do eu.

A senda, como quer que se possa rotulá-la, requer uma revolução total na pessoa, transformando-a em um novo ser, no sentido de que não é produzido por modificações do antigo. Aflora à existência como se não viesse de parte alguma, e esta é a natureza do Espírito. Possui uma qualidade que não tem a sua origem em qualquer nível da mente ou da matéria, mas que se deriva de alguma fonte e dimensão desconhecidas. Pode haver momentos ocasionais em nossas vidas quando vivenciamos a sua natureza atemporal. São os momentos de amor, de perfeita beleza e de felicidade. O fato de existirem tais momentos indica que há tal natureza no homem, presente como uma possibilidade. É uma natureza de amor e sabedoria, beleza e muitas outras qualidades, mas todas na forma em que surgem a luz do interior, a luz do Espírito, não na forma interpretada por uma mente mundana, sofisticada.

A natureza espiritual é a natureza da consciência humana em sua pureza pristina. Embora esta consciência seja a de um ser individual, do seu campo particular, e, em sua ausência de percepção torne-se modificada de várias maneiras, através da autocompreensão poderá anular todas as mudanças que se realizaram, e restabelecer aquela condição pristina. Naquele estado, a qualidade ou as qualidades que manifesta serão as da consciência em sua essência ou daquele campo que poderia ser denominado existência universal. Em virtude de uma identidade de natureza, o ser individual, permanecendo individual, estará então uno com o Ser Universal. Shri Krishna, no *Gitā*, representa aquela existência universal. Portanto, depois de falar de vários meios de purificação, Ele refere-se à possibilidade desta união como o mais elevado objetivo para o homem.

15

"O ELIXIR DA VIDA"

Um dos fenômenos mais comuns a realizar-se sempre em todo o lugar onde a vida está presente, e que tem profundo significado e importância, é o destino a que está sujeita toda a coisa desde o menor micróbio até o homem, e este fenômeno é a morte. Não gostamos de pensar muito sobre ela porque para a maioria das pessoas constitui uma perspectiva perturbadora; olham-na com pavor e repugnância.

Algumas observações profundas foram feitas a este respeito em um artigo publicado em *The Theosophist*, de outubro de 1881, por Eliphas Levi, para o qual foi dada atenção em uma das cartas dos *Mahatmas*. Eliphas Levi era um erudito e um abade católico-romano que foi secularizado pela sua igreja porque ela considerava os seus escritos como heréticos. Esses escritos são de uma qualidade mista. Há um livro em particular de sua autoria, intitulado *Os Paradoxos da Ciência Oculta*, publicado pela Editora Teosófica em Adyar, a pedido do Sr. C. Jinarajadasa, partes do qual são extremamente sugestivas, mostrando uma visão notável nos assuntos que ele aborda.

O artigo em questão faz, entre outras, a afirmação de que "a morte é a dissolução necessária de combinações imperfeitas". Tudo que percebemos no mundo da forma é realmente uma combinação; consiste de diferentes partes ou elementos. Até mesmo o átomo que conhecemos, e o seu núcleo, foram descobertos pela pesquisa científica como não sendo a coisa indivisível que supostamente era e sim algo deveras divisível. Neste sentido, faz parte da categoria das coisas formadas de alguma maneira que podem ou terão de chegar a um fim em dado momento. Consta que o Buda disse na véspera do dia de sua passagem, que todas as coisas compostas precisam ser decompostas. É apenas aquilo que na última análise não pode ser dividido que é verdadeiramente simples e imperecível. A palavra *Mônada*, embora não se refira a nada sobre a natureza da matéria como a conhecemos, mas a uma manifestação da Vida Una ou Espírito, tem esta significação. Conforme concebida na literatura teosófica, ela constitui a essência última de algo que é distinto e individual em sua natureza; existe nela como um ponto de unidade adimensional, que a torna única. Assim ela é indissolúvel.

Há uma implicação na afirmação de Eliphas Levi de que quando determinada combinação é perfeita, pode não estar sujeita àquele destino. Por mais perfeita que seja – nada neste mundo imperfeito é absolutamente, impecavelmente perfeito – se for uma combinação, deve ter sido formada de seus elementos – ao menos assim nos parece – e é difícil imaginar que qualquer coisa possa ser formada de tal maneira que jamais venha a ser desfeita depois. Mas talvez aquilo que está implícito seja diferente, e refira-se não à forma material visível para nós, mas àquilo que através dela manifesta-se, a alma de sua perfeição, como poderíamos denominá-la, ou o arquétipo divino.

O que torna uma coisa perfeita? No nível físico, a forma precisa ser uma combinação de elementos que podem ser movimentos ou linhas e cores, sons e assim por diante, todos da natureza da percepção sensorial. Mas, a partir de um ponto de vista interior, ou para a percepção mais profundamente sensível, a forma merecerá a descrição de "perfeita", apenas se tiver também a qualidade ou os atributos da beleza, como a proporção, expressão e assim por diante, todos de uma ordem mais intangível. Deve haver harmonia, e não meramente o tipo de ordem que assegura estabilidade por manter unidos os elementos individuais distintos. A harmonia é uma criação ou fato subjetivo estranho, que pode apenas ser sentido ou vivenciado. Constitui a base da beleza. Onde há verdadeira beleza, há uma coalescência de forma e de alma. A forma não mais é algo meramente composto, mas torna-se psicologicamente identificada com o que é expresso, que pode ser um sentimento ou uma qualidade muito sutil.

 O exemplo mais simples da unidade que pode ser incorporada por algo que é múltiplo em sua constituição é um acorde perfeito na música. As notas permanecem individuais e separadas, mas o sentimento evocado em quem responde àquela beleza não pode ser fragmentado. O mesmo se aplica a todas as outras formas de beleza. As partes existem para revelar a beleza do todo, a qualidade, a perfeição, a divindade do que é expresso. Aquilo que é indissolúvel em uma combinação assim é o que a inspira. As notas que exprimem a beleza do acorde perfeito podem ou não ser soadas, mas a natureza ímpar do acorde permanece como uma realidade subjetiva e pode ser relembrada ou tornar-se manifesta novamente por uma inteligência que dela tem conhecimento.

Da mesma maneira o corpo humano, que se desenvolveu através de muitos processos para vir a ser uma vestidura adequada da alma, pode ser deixado e decomposto em seus elementos, mas a alma, se for a alma espiritual, não é um composto e não pode ser dissolvida. Ela pode recolher-se no Espírito, de que é uma expressão, como um círculo de energia através da reversão das forças que o mantém como uma radiação ou impulso a partir do seu centro, podendo recolher-se naquele centro.

A possibilidade de uma integração assim perfeita das partes como que manifestarão o tipo de unidade que reside no acorde; sem uma partícula sequer de desarmonia ou dissonância, sem a mínima falha, pode apenas existir em uma natureza da mais alta homogeneidade e adaptabilidade, em que há também um espírito ou instinto de harmonia profundamente arraigados – em outras palavras, apenas na natureza de uma mente e de um coração purificados e sensibilizados, ou a natureza da alma. Qualquer coisa construída da matéria como nós a conhecemos, por mais perfeita que possa se apresentar, provavelmente terá algum pequeno espaço em si para forças de desajuste que trarão como consequência o seu colapso final.

A consciência que está totalmente aberta a qualquer forma de harmonia, seja no som, nas cores, no pensamento ou qualquer outra coisa, é assim unificada e integrada; torna-se impregnada com a qualidade que permeia aquela forma. Esta qualidade, absorvida naquela consciência individual, é como uma essência que pertence à substância daquela consciência. Ela não pode tornar-se absolutamente una com aquela consciência, a menos que a sua natureza esteja inerente naquela consciência como uma potencialidade que pode vir a manifestar-se a qualquer momento. Esta linha de pensamento nos conduz à conclusão de que todas as formas de harmonia, embora cada uma delas seja individual e ímpar, estão latentes na unidade e na aparente monotonia da consciência individualizada em seu estado puro. Cada uma constitui um aspecto da natureza daquela consciência. A monotonia é como a cor branca em que todas as cores distintas estão sintetizadas. O que dá origem a cada forma específica de harmonia na atividade daquela consciência é uma lei ou instinto inato em seu interior similar à de um artista perfeito. Esse instinto pertence à natureza da consciência individualizada em sua pureza; a lei inata é a lei que se obtém em sua liberdade, protegendo-a. Essa consciência, quando em seu estado pristino, não modificado, sempre é um todo. A beleza que a impregna quando encontra um objeto de beleza é a beleza dela evocada. É realmente harmonia que constitui o fundamento comum para sujeito e objeto que superficialmente parecem tão completamente à parte um do outro.

A forma de harmonia que surge no campo da consciência como uma realidade subjetiva não é uma combinação imperfeita, mas ela falha quando a energia que a sustém dela se retira. Embora a forma possa deixar de existir, aquilo que estava expresso naquela forma, a sua qualidade essencial, não é perdida, mas permanece como algo distinto, com uma identidade capaz de manifestar-se, não necessariamente no mesmo meio de antes, mas em qualquer meio. Diz-se que um ser humano liberto, que não mais está sob a necessidade de renascer, pode soltar-se não apenas de seu corpo físico, que não pode ser absolutamente perfeito nas condições atuais, mas também da forma sutil que exprime exatamente a beleza ímpar de sua natureza. Neste último caso, diz-se que ele pode criar à sua vontade esta forma sutil que é sua "própria forma". Até mesmo quando ele se tiver soltado de sua forma sutil, de modo que ela não se manifesta de forma objetiva, ela terá que ser considerada como existindo em alguma outra condição, sendo portanto capaz de materializar-se prontamente em um meio que se presta a tal propósito; e se a sua perfeição individual for traçada até sua fonte, talvez se apresente como uma "ideia" divina imperecível.

Eliphas Levi continua dizendo que "esta dissolução" – de combinações imperfeitas – "é a reabsorção do esboço grosseiro da vida individual no grande trabalho da vida universal". O homem é um ser complexo. O fenômeno de encarnações repetidas apresenta inevitavelmente diferentes aspectos, considerados em relação aos diferentes tipos de energia nele presente. Olhado do ponto de vista da energia espiritual inicialmente latente em seu interior, mas que ao final deverá tornar-se o fator central e predominante de sua existência, o trabalho a ser realizado constitui em pintar, em termos dos detalhes de sua vida e ação, incluindo todo o pensamento e emoção, a imagem perfeita daquilo que ele deve ser, a imagem de um protótipo preexistente, a ideia divina. Na realização deste trabalho, o seu julgamento, vontade livre e todas as faculdades desenvolvidas no decorrer de sua evolução precisam desempenhar o seu papel e dar a sua contribuição. Assim, aquilo que é criado pela sua livre vontade, originando-se de seus instintos puros e tendências, funde-se em seu predestino.

Na verdadeira obra-prima que um artista pinta, usando o seu instinto e julgamento interiores próprios, nenhuma linha poderá ser defeituosa e nenhuma cor poderá estar fora de seu lugar. É concebível que a vida possa ser vivida com uma perfeição assim, expressando, em cada detalhe e no todo, a beleza que constitui a individualidade espiritual do homem, uma beleza atemporal. Apoia-se em torno de uma mudança fundamental que precisa realizar-se em seu interior, mas mesmo antes que esta mudança seja completa, esta ação das correntes espirituais, na medida em que são postas em movimento e que começam a operar em partes da sua natureza, naturalmente deixariam a sua marca como prenúncios ou traços daquilo que terá de aparecer como o quadro perfeito, traços em forma de um esboço fragmentário ou grosseiro.

O esboço superficial produzido em cada vida é apagado pela morte, e apenas partes dele, que podem ser usadas como uma base para uma nova tentativa, permanecem como ideias que podem ser corporificadas no quadro a ser pintado. O restante do esboço, sendo totalmente inaproveitável para o futuro quadro perfeito, é descartado e retoma para a massa cósmica, da mesma maneira como as partes que constituem o corpo físico cremado após a morte retornam aos elementos da terra, água, ar e assim por diante.

"Apenas o perfeito é imortal", diz Eliphas Levi. O templo da perfeição pode ser construído apenas com o material certo. H. P. Blavatsky exprime a mesma verdade quando diz que de todas as experiências de uma vida, apenas uma parte, ou ainda sua essência, a sua qualidade espiritual pura, é assimilada pela individualidade espiritual da pessoa. O resto é rejeitado da mesma maneira que um supervisor pode rejeitar material inadequado. Quando usamos a palavra "qualidade", ela soa adjetival; a palavra "essência" possui uma significação substantiva. Mesmo na natureza real das coisas pode não haver uma separação assim entre elas como pensamos. O nosso pensamento raramente percebe a unidade do todo. Vê as partes e as une para compor o todo, mas assim procedendo cria uma lacuna e não consegue apreender a natureza da unidade. A individualidade espiritual é uma mistura perfeita de essências ou de qualidades. Contudo, ela é mais "real" do que qualquer objeto material. Pode ser que o adjetivo contenha a semente do substantivo e possa criá-lo. O sentimento que revolve no coração de um músico cria a canção apropriada. A teoria dos universais de Platão, dos quais são derivados todos os particulares, tornar-se-á mais compreensível quando entendermos que uma qualidade é também uma essência que pode moldar uma forma ou tipo a ela ajustável; isto é porque o substrato do universo, *Svabhāvat*, para usarmos a palavra budista, é simultaneamente Espírito e Matéria.

Eliphas Levi continua com outro pensamento que não pertence a qualquer forma ou combinação, mas à consciência interior: a morte é um "banho no esquecimento". As suas ideias sobre este assunto são expressas de forma profunda e bela. O que acontece à entidade humana na morte do corpo físico? Gradualmente se desprendem os conteúdos da mente desenvolvida em associação com aquele corpo. O que é expresso na literatura teosófica como pertencente às mudanças que depois se realizam nas condições *post-mortem* ilustra detalhadamente este processo da dissolução das memórias, camada por camada. Na medida em que determinadas partes desaparecem, outras permanecem, e a consciência é centralizada nelas. Isso realiza-se de acordo com leis psicológicas até que permaneçam apenas memórias de amor, de felicidade imperturbável e outros momentos belos na vida que agora terminou, mas esses sentimentos também desaparecem na medida em que se exaure a energia que lhes aviva.

A entidade viva, o homem como é no fim da sua vida física, é transformada nas condições às quais passa na morte, devido ao desgaste da vestidura (ou vestiduras), nas quais então as suas atividades estão centradas, e o desaparecimento das memórias que corporifica. Com o desaparecimento da memória, o apego à memória também desaparece. As memórias permanecem e são ativas apenas enquanto forem reanimadas pelas condições ou experiências das quais se originaram. Quando desaparece o elo com o mundo físico, não há mais o processo reanimador. Visto que todo desejo baseia-se na memória, os desejos que obsedaram ou influenciaram a entidade também desaparecem. Quando este é o caso, é um ser transformado que emerge do processo. Para usar os expressivos termos sânscritos, *kama-manas* (desejo-mente), passa a constituir *Manas* puro. A vestidura é solta quando se torna fragmentada e reduzida a farrapos. Ela representou muito a personalidade anterior, enquanto distinta do Ego sobrevivente, assim denominado porque é uma unidade de consciência e não um ego no sentido estrito da palavra. Tudo, na natureza de uma pessoa, que for construído pelo ambiente, está sujeito ao processo de dissolução. Apenas aquilo que constitui um florescer de dentro, expressando uma natureza diferente não construída, permanece naquele Ego. A entidade que atravessa o processo da morte retoma ao renascimento, tendo esquecido o passado. O passado é completamente eliminado e esquecido e nem sequer um traço permanece na consciência novamente emergente. O indivíduo que retoma é praticamente um ser novo, sem memória do antigo, e assemelha-se muito a uma alma nova que goteja do céu, como algumas pessoas acreditam.

O velho foi transformado no novo simplesmente pela desagregação de sua experiência acumulada, e a vida, que é sempre inextinguível, reinicia como um germe de consciência nesta Terra. O germe expande-se muito rapidamente, faz contato com uma coisa após a outra por todos os lados e segue o padrão comum de desenvolvimento, embora não sem variações. Algumas vezes uma criança é precoce, porém mais tarde integra-se em uma rotina normal e estereotipada. Às vezes a planta floresce tardiamente. Nos seus primeiros anos, a criança pode parecer estar nas nuvens, distraída, mas posteriormente chega a um ponto em que a sua qualidade inata precipita-se de forma inesperada. Existem todas a espécies de irregularidades e variações, devido ao fato de que há muitos fatores em cada um de nós, e eles são postos em contato com condições cambiantes.

A partir da raiz espiritual imperecível e dos elementos psíquicos sobreviventes e aderentes, brota uma nova árvore da vida, e é este fenômeno do nascimento e do crescimento. Eliphas Levi usa a comparação "uma fonte de juventude, na qual de um lado imerge a velhice e do outro emerge a infância." O mar do esquecimento contém as águas do rejuvenescimento. O homem idoso que talvez tenha sido difícil e desagradável passa a ser uma criança jovem, dócil, brincalhona e amável – uma transformação incrível.

A natureza da vida, quando é incondicionada por qualquer organismo em particular que a limita e condiciona, é diferente de quando está condicionada. As suas qualidades e energias são abafadas e oprimidas pelo organismo no nível do seu próprio funcionamento. A própria vida à parte de qualquer forma com que se revista é eternamente jovem, porém o corpo com o qual se identifica endurece e decai. Quando a vida flui livremente, ela tem uma qualidade muito diferente da que exibe quando obstruída com elementos que penetram sua corrente, turvando-a e encobrindo-a. Vemos a qualidade inata da vida no nível físico apenas em seus primórdios, com as folhas frescas na primavera e o viço de tudo o que é jovem, porque em breve é tolhida pelas mudanças hostis à sua livre expressão. A criança tem uma qualidade de frescor; o jovem, seja menino ou menina, também é assim, não apenas no corpo, mas também na mente, mas perde progressivamente aquela característica; o homem em idade média, via de regra, mostra muito pouco disso e, na medida em que envelhece, torna-se não apenas evanescido no corpo, mas também mais estabelecido e contraído na mente e no coração, capaz de funcionar apenas dentro de determinados sulcos estreitos.

O corpo físico torna-se velho na natureza das coisas, através de reações químicas, deteriorização de células e muitos processos que a sua mente não pode controlar. Ninguém pode reter o envelhecimento do corpo. Talvez o homem esteja destinado a aprender determinadas coisas através das inabilidades que este processo lhe impõe. Mas por que a pessoa torna-se velha internamente? A resposta é que ela é retardada, enrijecida e limitada por aquele processo de acumulação, cujos resultados são eliminados no "banho em esquecimento". Se observarmos o processo enquanto se realiza durante a vida, pode-se ser capaz de livrar-se dele. É um processo de fixar-se em uma coisa após a outra que lhe dá prazer, porque ele anseia e deseja possuir, seja dinheiro, posição, estima, poder, relações sexuais ou qualquer outra coisa.

Eliphas Lévi fala da morte como "a transfiguração dos vivos". Ele parece querer dizer que se pode morrer enquanto se ainda vive, que é essencialmente a mudança que a natureza efetua periodicamente com seu mecanismo, mas que pode ser produzido definitivamente de modo livre e voluntário, através da própria inteligência da pessoa, com total percepção daquilo que está se realizando. A pessoa pode ser transfigurada enquanto ainda vive, como Jesus foi transfigurado. Assim a vida na matéria, ou seja, sufocada pelo apego que toda a matéria implica, pode ser transformada em vida em Espírito, ou vida em sua própria liberdade, desabrochando para esplendores desconhecidos.

Eliphas Lévi faz uma outra observação sobre a morte em seu estilo vivido e poético: "os corpos mortos nada são senão as folhas mortas da árvore da vida que ainda terá todas as suas folhas na primavera." A vida em sua totalidade, bem como todos os seres humanos, é uma árvore de vida, e os corpos mortos não são apenas físicos – mesmo as células no corpo que morrem aos milhões, enquanto o corpo como um todo está vivendo e pulsando, podem ser consideradas como aquelas folhas mortas – mas também astrais e mentais. Há referências nas primeiras obras da literatura teosófica a "sombras" que nada são senão os remanescentes astrais da entidade que teve sua passagem, reanimada ou por algum tipo de energia de pensamento ou por alguma outra entidade que não sente qualquer repugnância por elas, mas é capaz de utilizá-las. Exceto por determinados grupos de espiritualistas, e talvez alguns ocultistas errantes, a atmosfera presente no mundo moderno não favorece o interesse nesses fenômenos paranormais representados por elementares, espectros, sombras e assim por diante, que no passado pareciam estar mais envolvidos com seres humanos do que atualmente. Da mesma maneira com que as folhas mortas caem da árvore, enquanto a árvore está viva, esses remanescentes, corporificando as tendências *kama-manāsicas* da entidade que se retrai, desligam-se em determinado estágio do seu progresso e via de regra desintegram-se. A árvore terá folhas novas na primavera porque a própria vida é eterna e imperecível. A árvore da vida que é cada ser humano cresce periodicamente e depois morre até as suas raízes. A árvore continuará submetida àquelas mudanças até que ela esteja totalmente transformada, tornando-se a árvore da vida e sabedoria, e não uma árvore do bem e do mal. Em outras palavras, quando todo o ser de uma pessoa exprime uma natureza de sabedoria, nada haverá a abandonar; e as folhas que constituem a sua expressão serão sempre como as folhas na primavera, eternamente frescas, sem conterem nenhum elemento que possa nelas causar decadência.

Eliphas Lévi segue com a observação de que "a ressurreição dos homens assemelha-se eternamente àquelas folhas". Estar ressuscitado não significa renascer na matéria, porém nascer no Espírito que é atemporal e, portanto, não sujeito à decadência. A energia integrada na corrente individual da vida reascende para o Espírito quando deixa de ser atraída na direção dos canais da matéria e da sensação.

Na mitologia indiana, na qual tantas verdades são indicadas de forma alegórica ou em parábolas, método aliás muito usado nos primeiros tempos da humanidade, diz-se que os Devas possuem três atributos. A palavra Deva, deve-se realçar aqui, é usada para diferentes classes de entidades não físicas, variando desde espíritos da natureza brincalhões que são como pequenas crianças, em uma extremidade da escala, aos seres elevados, cujas natureza e atividades o homem não pode conceber bem, na outra extremidade. No meio da escala há Devas que, embora não possuindo corpos físicos, são humanos em sua natureza psíquica. O mito refere-se ao aparecimento, em forma física, de tais Devas humanos. Pode-se descobrir que são Devas, segundo se diz, através de três sinais. Os sinais mencionados são todos físicos, mas podem ser interpretados como referindo-se ou à natureza psíquica ou espiritual daqueles seres. Um dos sinais é que o Deva nunca transpira, outro é que ele olha sem piscar os olhos e o terceiro é que ele não forma sombra. Ele não transpira porque o seu corpo é apenas uma forma materializada capaz de realizar aquilo que deseja e não um corpo organizado como o nosso. Mas há o indício de que a maneira em que o Deva vive e age é destituída de esforço. Quando não há esforço ou tensão ao fazer as coisas que se deseja fazer, há sempre vitalidade e frescor. Sem dúvida haverá um dispêndio de energia, mas poderá haver um influxo correspondente de vitalidade.

A condição de não piscar os olhos pode ser devida ao fato de que, sendo uma criação artificial, o corpo não tem todos os processos fisiológicos detalhados; mas também sugere uma atenção concentrada que surge sem esforço do interesse naquilo que ele está observando ou fazendo. O Deva pode comungar, por assim dizer, com tudo que o atrai, sem qualquer vascilação ou desvio de atenção, sem uma mente errante.

Ele não faz sombra fisicamente, possivelmente porque sua forma, que é ilusória, não é suficientemente densa. Metaforicamente poderia significar que ele tem uma natureza translúcida e não opaca. As características físicas mencionadas talvez sirvam para indicar o tipo de ser que ele é em sua natureza espiritual. A sua qualidade inalterável surge do fluxo de vitalidade que brota de dentro. Quando a fonte interna não estiver bloqueada ou impedida, o fluxo que dela se origina tem as qualidades do frescor e claridade inerentes às águas puras da vida. O homem ressuscitado, que é comparado às folhas na primavera, deve ser presumido como tendo as qualidades espirituais mencionadas, ou seja, ação destituída de esforço, estado desperto permanente (uma radiação constante de consciência) e a pureza que toma a sua natureza translúcida.

J. Krishnamurti faz uma declaração, profundamente interessante quando diz, ou parece dizer, que a morte, a vida e o amor são uma e a mesma coisa. Expresso desta forma pode afigurar-se ininteligível para nós, mas a afirmação pode referir-se a um estado de ser, de mente e coração, que possui a natureza de todos os três – morrer a cada momento para cada partícula de acumulação que compõe o passado, a florescência da vida que está sempre naquele momento que é o presente, e o amor que também se manifesta naquele instante, como sendo algo sempre novo, com uma qualidade que não está baseada no tempo.

A vida e a morte são como dois lados de uma moeda. São fenômenos semelhantes ao nascer e o pôr do sol. O sol pode pôr-se em Madras, Índia, e ao mesmo tempo nascer em Chicago, Estados Unidos. Uma pessoa morre para este mundo, mas simultaneamente aparece em outra parte. Tanto o nascer quanto o morrer são fenômenos ilusórios, causados pela revolução da Terra ao redor do seu eixo e a inclinação do plano do nosso horizonte em relação aos raios solares, enquanto o sol permanece fixo como o centro do seu sistema. Se o sol representa Espírito ou vida em sua fonte, o Espírito, nas palavras do *Gitā*, não nasce e não morre; embora, conforme expresso em uma das cartas dos *Mahatmas*, "Espírito na matéria é vida". A vida pode existir em várias formas e gradações. A retirada da vida do envolvimento na matéria, que é uma morte, reintegra-a à sua condição original, que é a ressurreição no Espírito ou liberdade. Esta retirada é um processo de eliminar o passado como é refletido no presente, e ao mesmo tempo, a recuperação da liberdade pela entidade que se permitiu, durante o período de não percepção, ser aprisionada dentro de memórias e obsessões acumuladas naquele passado. A dissolução deste acúmulo, camada por camada, é o "banho em esquecimento" que reintegra a vida individual à sua condição original de novidade e inocência. O que é eliminado naquele banho não é a sua própria natureza, a qual quando se projeta evidencia seu brilho próprio como o ouro puro do qual foi removida a escória, ou como as flores na primavera. Quando tudo que foi acumulado no processo do tempo tiver desaparecido, manifesta-se aquilo que eternamente é.

A vida individualizada e a forma sempre caminham juntas. Deve haver um tipo de vestidura para a manifestação da vida, não necessariamente física. Sem alguma forma através da qual possa agir, a vida pode existir apenas como potencialidade, que para nós é uma abstração. Referindo-se ao Espírito, a carta do *Mahatma* anteriormente mencionada diz: "O que é o Espírito, puro e impessoal, *per se*? Este Espírito é uma não entidade, uma abstração pura, uma lacuna absoluta para os nossos sentidos, até mesmo para o mais espiritualizado". Visto que o Espírito em matéria é vida, na fonte ambos são uma e a mesma coisa. A energia que chamamos vida, embora se espalhe no espaço, pode estar contida em um ponto e aparentemente o faz no *pralaya*, a noite de *Brahma* (a Divindade na sua primeira manifestação), de acordo com os antigos livros hindus, quando tudo no universo retorna à sua fonte. Esta noite segue-se em um ritmo cíclico ao dia de *Brahma*, o período ativo do universo, chamado *Manvantara*. Diz-se que também existem *pralayas* menores, durante os quais não o todo do universo, porém partes que constituem sistemas em si desaparecem em um sono semelhante ou latência, como poderíamos chamar este estado. Mas, somando-se a estes estados, existe também o conceito de *Nitya Pralaya*, que pode ser traduzido por *pralaya* ou morte a cada momento. Isto pode referir-se à morte por milhões de seres humanos, bem como a outras vidas que acontecem a cada momento. Pode também referir-se àquele estado de mente e coração em que há uma morte para toda experiência, seja marcada pelo prazer ou pela dor, quando seria igualmente uma ressurreição, a cada momento. Tal morte é um pôr do sol perpétuo da consciência individual para aquilo que constitui o passado, constituindo simultaneamente um despertar para aquilo que é o presente.

A Morte e a Vida estão sempre interligadas. Ambas parecem estar presentes nos mesmos lugares, como por exemplo, a vida no corpo como um todo e a morte das células que constituem o corpo. A forma ou organização é um agregado de partes e o ciclo vital do todo não coincide com o ciclo vital das partes. Como foi dito em um livro notável intitulado *O Sonho de Ravan*, por um autor anônimo que contribuiu com a obra em forma de folhetim para a revista da Universidade de Dublin em meados do século passado, toda a nossa terra é um grande ossário quando se olha para o seu passado. Inumeráveis espécies de vida têm morrido durante milhões de anos e a terra está coberta com a poeira e os fragmentos dos seus corpos. Porém, em meio aos mortos há muito tempo e aos que agora morrem, existe vida em toda a sua variedade e glória. A nascente da vida que esta por trás jamais cessa de pulsar, e as suas águas brotam por cada poro possível. Embora o tempo seja todo-destrutivo, pode apenas destruir as formas da matéria. Não pode tocar a vida ou o Espírito que, estando sempre naquele momento ilusório que chamamos o presente, está sempre situado fora das garras do tempo.

Eliphas Lévi continua a dizer que "formas perecíveis são condicionadas por tipos imortais". O uso da palavra "condicionado" aqui significa que as formas perecíveis, isto é, cada coisa viva, assume um estado, que está sujeito à influência do tipo imortal, o arquétipo ou Ideia de Platão. Em *Ísis Sem Véu*, H.P. Blavatsky afirma que "cada mortal possui uma contraparte imortal, o seu arquétipo no céu". Céu aqui significa o céu das Ideias Divinas. Ela fala do ser humano mortal, enquanto que as formas perecíveis de Eliphas Lévi incluiriam tanto os animais quanto as plantas. A forma perecível precisa ser considerada como uma aproximação, não importando a que distância, de sua contraparte imortal, e tendo sutis fios de conexão com ela. H.P.B. diz que está "indissoluvelmente unida àquele arquétipo", no caso do homem "unido pelo princípio intelectual-espiritual nele existente". O princípio intelectual não é aquela mente que é influenciada por vários tipos de desejo e sensação, mas é uma extensão pura do Espírito, representando de fato o seu instrumento. Eliphas Lévi parece querer dizer que para tudo que é imperfeito e portanto perecível, existe em algum lugar um tipo correspondente que é perfeito e imperecível. Esta forma perecível é uma tentativa da natureza de modelar o padrão daquele tipo imortal. Assim ele diz: "todos aqueles que viveram na Terra ali ainda vivem em novos exemplares de seus tipos."

Todos os tipos de animais certa vez passaram pela superfície da Terra, mas desde então desapareceram. As criaturas que agora vemos são os novos exemplares. Em diferentes períodos de tempo existem formas e diferentes estágios de evolução que exemplificam o mesmo tipo imortal. Não há sugestão de reencarnação aqui: a referência é a tipos. Poder-se-ia chamar as formas perecíveis aqui como sendo as sombras das formas perfeitas que estão em outro lugar. Em outras palavras, existe uma sucessão de formas em evolução, cada qual melhor do que a precedente e em algumas formas marcadamente diferentes, mas todas elas refletem em diferentes graus ou formas o mesmo padrão ou tipo ideal. Eliphas Lévi, referindo-se às formas perecíveis, indica que conquanto possa haver morte neste lado, existe algo imortal correspodente à forma mortal no outro. A morte é a contraparte da imortalidade.

Eliphas Lévi também diz que "as almas que ultrapassaram o seu tipo recebem em outro lugar uma nova forma baseada em um tipo mais perfeito na medida em que ascendem na escada dos mundos". Em outras palavras, existe o tipo e existem as aproximações ao tipo. Quando a vida inerente ou a alma desenvolveu-se além dos limites daquele tipo, ela recebe em outro lugar esta nova forma de que ele fala. Pode ser que ele tenha a ideia de vida em outra esfera ou sistema. Se almas individuais alcançaram o cume que pode ser atingido sob determinadas condições, deslocam-se para um conjunto diferente de condições onde podem desenvolver-se ainda mais na direção de um tipo superior, porque a capacidade destas almas é ilimitada e infinita.

Depois de referir-se a estes protótipos de todas as coisas existentes, ele fala da alma do homem e diz: "as nossas almas são como se fossem a música da qual os nossos corpos são os instrumentos, mas elas não podem fazer-se ouvir sem um intermediário material" – que é precisamente a ideia expressa por Platão ao abordar a natureza da alma.

A música exerce efeitos diferentes sobre o homem e difere grandemente em qualidade. Pode tornar-se um mero jogo de ritmos, e pode facilmente transformar-se na mais irreal das fantasias. De fato existem composições musicais que são denominadas "fantasia", isto é, a sua música é similar a um sonho. Na constituição humana este tipo de ação e experiência está relacionado com a psique, a alma semimaterial sutil, enquanto distinta da alma espiritual que constitui uma expressão do Espírito. Todo sonho é essencialmente uma projeção do eu psíquico. A alma espiritual, *Buddhi*, não sonha porque a verdadeira natureza do Espírito deve estar desperta no sentido de sempre perceber aquilo que está para ser percebido, aquilo que é. Quando aquela alma não estiver desperta e ativa, ela pode retirar-se em um estado de *pralaya*, que, em si, constitui um estado absoluto ou *Samadhi*, um termo hindu familiar, que é identificado com demasiada frequência e, erroneamente, com total inconsciência. O que o Espírito ou a alma espiritual percebe deve ser a verdade, porém a verdade está dentro de si mesma e é infinita. A alma espiritual é uma corporificação de quaisquer parcelas daquela verdade que foi capaz de atrair para dentro de si.

A ação da psique, bem como da individualidade espiritual do homem, seus sonhos e realizações, pode ser representada em forma de música, mas é preciso fazer uma ampla distinção entre a música que exerce um apelo a partes da natureza psíquica, geralmente algo misto, e aquilo que representariam as intuições ou entendimentos da alma espiritual. A qualidade da música diferiria conforme o caso.

A música pode induzir a diferentes humores e estados emocionais, e isso foi reconhecido e estudado na música indiana. Os antigos mestres da música gostavam de produzir música capaz de evocar uma atmosfera de amor, de serenidade, de tristeza, de ação enérgica e assim por diante. Lord Byron escreveu um poema sobre Alexandre, O Grande, que ilustra os notáveis contrastes que a música pode produzir no humor.

Existe verdade ou beleza de uma natureza ímpar em cada ser individual, mas ela está tão profundamente soterrada nele que é difícil de percebê-la. Esta beleza ou verdade manifesta-se na alma espiritual e dela se reflete no caráter e na visão do homem. H.P.B., ao traduzir *Buddhi* como a alma espiritual, deu-lhe uma profundidade de significado que, muitas vezes, não se depreende no uso comum do termo. *Buddhi* aparentemente possui diversos significados, como podem dizer aqueles que observaram os diferentes contextos em que é usado no *Gītā*. A sua natureza modela a psique em conformidade consigo, que é parte do processo segundo o qual toda a natureza do homem é posta em sintonia com o seu arquétipo. A psique torna-se, então, uma versão ampliada do espiritual, uma versão em um idioma diferente, com notas diferentes, talvez com mais sofisticação, com mais detalhes, ilustrando as qualidades espirituais, porém necessariamente com menos profundidade, menos alcance e penetração interiores, e menos dos indícios desconhecidos que sempre residem em cada partícula da natureza do Espírito. A natureza psíquica é transformada ou transfigurada, ao passo que a alma espiritual meramente se expande e é uma expansão daquilo que nela já está presente. O processo de levar a natureza psíquica à perfeita sintonia com a natureza espiritual pode ser considerado como um processo de remodelá-la ou reconfigurá-la, pintando novamente o quadro ou alterando um aspecto comum por variações, e tornando-a uma composição de inacreditável beleza. Essas são todas comparações que de formas diferentes exprimem a mesma verdade. Sempre quando formamos algum conceito da alma, é provável, ao menos em alguns sentidos, que ele seja falho ou imperfeito. A sua natureza pode apenas ser sugerida por símiles. Não pode ser transmitida a uma pessoa que não possui a apreensão necessária para compreendê-la. A afirmação de Eliphas Lévi de que "a alma é como se fosse música", que, sem um corpo ou corpos, não pode ser exteriorizada e expressa, abre muitos vislumbres de pensamento, como o fazem muitas outras afirmações em seu artigo.

Leia também

PENSAMENTOS PARA ASPIRANTES AO CAMINHO ESPIRITUAL

N. Sri Ram

Compilação de pensamentos inspiradores, excertos escolhidos de seus diversos escritos, divididos em temas tais como Autorrealização, Verdade, Sabedoria, Liberdade, Paz, Fraternidade, Felicidade, Beleza, Amor, entre outros. Sua linguagem humana, simples e profunda torna este livro acessível e recomendável a todos.

"Todas as coisas passam como um sonho. Mas mesmo a vida terrena pode ser um sonho de paz e beleza".

"A paz é o estado feliz, natural do homem e de todos os filhos da Natureza".

"Se nossas vidas estão estagnadas é porque não há fluir de interesse para os outros, não há comunhão com a vida ao nosso redor, nossas relações com os outros são parciais e amplamente sem vida".

Tais pensamentos de Nilakantham Sri Ram espelham a vida do autor e nos dão um vislumbre desta obra.

Nela, o autor tenta lembrar-nos daquele estado de felicidade e harmonia naturais que geralmente perdemos em nossas agitadas vidas diárias, mas que sempre aspiramos por reencontrar. Contudo, essa aspiração nem sempre é consciente e clara, tornando-se, por isso, valiosa a meditação em pensamentos de natureza inspiradora.

O autor foi o quinto presidente internacional da Sociedade Teosófica, tendo se dedicado à causa da filantropia e a da libertação do ser humano. Teve significativa participação na independência da Índia.

EDITORA TEOSÓFICA

O INTERESSE HUMANO

N. Sri Ram

A complexidade da sociedade moderna é tão grande atualmente que muitos indivíduos sentem-se perdidos e insignificantes. Vivemos na era da informática e existe uma mentalidade que atribui menos importância ao viver individual do que às opiniões produzidas em massa e aos comportamentos reforçados pela propaganda. O interesse humano não é algo que possa ser manufaturado, mas deve crescer no solo das experiências vivas e nos relacionamentos entre as pessoas.

A experiência tem mostrado que o crescimento sempre foi acompanhado por mudança. Assim, devemos considerar todos os aspectos para termos a plenitude da compreensão. A Natureza criou um todo, assim como o ser físico e psicológico, havendo no cérebro uma unidade em meio à complexidade. Por isso, a importância do interesse humano em todas as nossas vivências.

Neste livro, N. Sri Ram, autor conhecido por apresentar conteúdos filosóficos profundos de uma maneira lúcida e acessível, combinados com uma sagaz percepção dos pensamentos e conhecimentos modernos, aliado ainda a uma compreensão sensível dos problemas humanos, aborda aqui vários aspectos de vital importância, tais como senso de valores, amor, felicidade, jogo de opostos, o ponto de vista dos outros, juventude, beleza e arte, vida e morte, o homem e o universo, dentre outros.

EDITORA TEOSÓFICA

Maiores informações sobre Teosofia e o Caminho Espiritual podem ser obtidas escrevendo para a **Sociedade Teosófica no Brasil** no seguinte endereço: SGAS Quadra 603, Conj. E, s/nº, CEP 70.200-630 Brasília, DF. O telefone é (61) 3226-0662.
Também podem ser feitos contatos pelo e-mail:
secretaria@sociedadeteosofica.org.br
site: www.sociedadeteosofica.org.br.

gráfika
papel&cores